教養の人類史

ヒトは何を考えてきたか？

水谷千秋

文春新書

1431

はじめに　教養とは何か——知への欲求

教養とは何か、それはどのようにして得られるものか、なぜ教養が必要なのか。そんなことが以前から多くの人々に問われ、議論されています。かつて戦前から戦後しばらくまで、旧制大学の学生やその出身者のなかに教養主義のようなものがあったことはよく知られています。大学生の必読書といわれるものがあり、それらを読んでいないと恥ずかしいといわれたそうです。ドストエフスキー、トルストイ、カント、鷗外、漱石、芥川、小林秀雄、西田幾多郎、『歎異抄』などなど、文学から哲学書、宗教書からマルクスなど社会主義の文献に至るまでありました。戦後にはそこに吉本隆明なども加わったのでしょう。学生たち自身もこれらの書物について語りあい、熱く議論したのでした。

それからもう半世紀以上経ち、現在では教養という言葉は、二つの意味合いで使われているように思います。ひとつは社会生活を営む上で必須の知識、知らないと恥ずかしいとされるような常識的な知識という意味です。大学の「一般教養科目」といった場合はこのイメージが主になるでしょう。

もうひとつは、学問や知識、芸術などを学び、享受することによって培われる人間性や人格のことです。〝あの人は教養の豊かな人だ〟といった言葉などはこのイメージでしょう。この場合、単に知識が豊富なだけでなく、それが人間性の豊かさや品格のもとになっているのです（四十年前、私が大学三回生になったとき、母校の廊下を歩いていると、お名前も専門も知らないながら、一見して風格と教養を感じさせずにはおかない温顔の老教授を何人もお見かけした。あれが大学でした）。

現在の大学生にとっては、教養という言葉は前者の意味で理解されるのが一般的なように思いますが、後者の意味でイメージされることもまだあるように思います。両者ははっきりと分かれるものでもなく、渾然一体と交じり合っているところもあるでしょう。

本書は私が行っている堺女子短期大学でのいくつかの講義をもとにしています。とりわけ「芸術と文明」「歴史と現代」「二十世紀の歴史と文明」「歴史入門」といった科目の内容です。実際の講義は本書ほどまとまったものではなく、話題が横道にそれたりすることもありますが、社会を生きていくうえで必要とされる知識と、人間性を豊かなものにしてくれる文学や哲学や歴史や芸術といったものの双方について講じているつもりです。

この他にもゼミナールの授業では、一冊の本を読み、深く論じたりもします。これまで取り上げた本では、マックス・ウェーバーの『職業としての学問』、ドストエフスキーの『罪と罰』。「文学の世界」「文学入門」という授業ではギリシア悲劇の『オイディプス王』、シェイクスピアの『マクベス』、ゴーゴリの『外套』、カフカの『変身』、昨年はカミュの『ペスト』を読みました。難しい本ばかりではないかと、読者はお思いになるかもしれませんが、それでもこれらの名作に触れることで、学生たちはより深く物事を捉える力を得ているように思います。

十九世紀イギリスを代表するJ・S・ミルという哲学者・経済学者がいました。一八六七年、彼が或る大学の名誉学長に就任したときの記念講演が、のちに『大学教育について』という題で書籍化されています。彼はこの中で大学で教養を学ぶことの意義について、このような趣旨のことを述べています。

> 教養がなくても有能な弁護士にはなれるでしょう。けれども、単に細かな知識を頭に詰め込んだだけの弁護士ではなく、物事の原理を把握できる、哲学のある弁護士になるには、教養がなくてはならないのです。

ミルは、広範囲にわたる一般的な知識と、一つの専門分野についての深い知識とを併せ持つこと、「この両立によってこそ、啓発された人々、教養ある知識人が生まれるのであります」と言います。一つの専門分野のみに関心を絞って他の事を知ろうとしないようでは、「必ずや人間の精神を偏狭にし、誤らせる」というのです。

本来、教養というものは、仕事に必要だからとか、試験勉強や資格取得のために必要だからとかではなく、自分が知りたいから読み、触れ、観察するものです。そこにはここまで学んだら十分という限りはありません。

アリストテレスに「人間は生まれながらに知ることを欲する動物である」という言葉がありますが、これはそうした「知への欲求」といったものなのだと思います。

本書では、ヒトという種が現在のチンパンジーやボノボなどと共通の祖先から枝分かれした約七百万年前から現在に至るまでの歩みをふり返り、私たち人類が一体何を考え、何を信じ、何を行ってきたのかについて追究しています。この疑問は長い間、私にとって強く知りたいことでしたし、一生その追究はやむことがないと思いますが、本書はその序説の序説といったところになります。短大生向けの講義でもありますので、内容はあくまで初歩から始まります。読者にはよくご存じのことも多く含まれているかもしれませんが、お付き合いいただけたら幸いです。本書を通じて知る喜び、面白さをお伝えしたいというのが私の念願です。

なお本書で引用する諸文献については、できるだけわかりやすくするため、摘要とした部分、意味を損なわない範囲で漢字や用字、表現を改めた部分等があることを、あらかじめお伝えしておきます。

教養の人類史　ヒトは何を考えてきたか？　◎目次

序章　知の巨人たちの求めたもの

～立花隆、司馬遼太郎、井筒俊彦、松本清張らの知的遺産～

巨人の肩の上に乗って

現代には「知の巨人」と称えられる人がいます。緻密且つ旺盛な知的好奇心をもち、スケールの大きい業績をあげた偉大な学者や思想家、文豪といわれる大作家たちを言うのでしょう。私の記憶では、最初にこの称号を冠せられたのは立花隆でした。立花隆は、田中角栄研究で有名ですが、科学や社会問題でも鋭い批評眼をもち、文系理系問わず幅の広い分野に通暁する並ぶ人の無いくらいの知識を備えた人でした。そんな彼に「知の巨人」という形容はふさわしかったのかもしれません。

その後は、いわゆる学者たちにもこの称号は奉られてきました。ひとつの学問分野に限らず、人間の知の全体に迫るようなスケールの大きな探究をしてきた人たち——梅棹忠夫、司馬遼太郎、柄谷行人、海外でもユヴァル・ノア・ハラリやエマニュエル・トッド、ノーム・チョムスキーなどにこの言葉が冠せられたりもします。評論家の小林秀雄、加藤周一、吉本隆明などもそう呼ぶにふさわしい人です。

学問分野が細分化されたこの時代に、もう一度これらを総合化することの大切さを多くの人が感じていますが、これらの人たちは格闘しながらもそれに取り組んできた人たちです。私は彼らに敬意を表し、できるだけその偉業を追っていきたいと念じています。「巨人の肩の上に乗って」というニュートンの言葉があります（島尾永康『ニュートン』）。

もし私がより遠くを眺められたとすれば、それは巨人の肩の上に乗ったからでありま
す。

というものです。ニュートンがそうであったように、現代に生きる私たちも、何人もの巨人の肩の上に乗り、その成果を吸収することで、初めてさらにその先の景色を望み見ることが出来るのでしょう。知の巨人たちを驚嘆の顔で見上げるばかりでなく、その成果を一歩ずつでも学んでいきたいものです。

立花隆の「生涯勉強」

立花隆が「近頃生涯教育ということがよくいわれるが、自分はこの言葉が好きではない、この言葉には教育する側からの発想がにじみ出ている」と言っています。自分は勉強が好きで、ほとんど勉強一筋の人生を送ってきた。勉強は私の職業でもあった。普通は勉強は職業にならないけれども、自分が勉強した結果をわかりやすくまとめて人に伝えると、もともとその領域を勉強したいと思っていた人が読者になってくれる。だから自分は「勉強専門職レポーター」みたいなものだと。

そして自分の行っている生涯勉強というのは、言葉を換えれば、生涯自己教育であり、学習のような他律的なものではなくて自分で学習対象をつかみ、学習内容も自分で決め、学習方法も自分で発見していく。自律的で主体的な学習であると言っています。

人間とは何か

立花は自分は何を知りたくてこれだけ広い分野を学んでいるのかについて、一言でいえば「人間の見当識《けんとうしき》」を得たいのだと言います。彼によれば見当識とは、脳機能の異常で意識レベルが疑われる患者に、まず医師が尋ねる「ここはどこか」「あなたは誰か」「今はいつか」という三つの質問のことです。立花隆はこの見当識を人類レベルで問うのです。それは「人間とは何か」――「われわれはどこからきたのか」「われわれは何者なのか」「われわれはどこへ行くのか」ということになります。ゴーギャンの絵にタイトルとして付された言葉でもあります。考えてみればすべての人文学の究極の目的は、そこにあるのではないでしょうか。

立花は言います。

> 今、教養という言葉は死語になりつつある。また、万巻の書を読み尽くせる人はいま

せん。結局は、人生の残り時間を確認しながら、最大の成果を得られるように計画を作るしかない。そのとき、知識の系統樹が頭に入っていることが大切です。それとやはり紙媒体に書かれたものを読む、つまり読書が必要なのです（立花隆・佐藤優『ぼくらの頭脳の鍛え方』）。

立花隆のライフワーク

立花隆のあまりにも広い研究テーマは、たとえば一九九六年のNHK教育テレビ・人間大学の講座「知の現在　限りなき人間へのアプローチ」の十二回の講座のタイトルをみても知ることが出来るでしょう。ここに彼がそれまで取り組んできたテーマが網羅されています。この時、立花は五十六歳でした。

「知」とは何か
体験的ジャーナリズム論
同時代史——「田中角栄研究」が切り開いた世界
宇宙——科学と哲学とが出会う場所
サル学の現在と人間

脳死——生死の本質を考える
臨死体験とは何か
利根川進と分子生物学
電脳進化とインターネット
人間学に迫る脳研究
人はなぜ創造するのか
ヒトはどこへ行くのか

このように実に多彩です。このあと取り組んだ大きな仕事としては、自分自身が罹病することになる癌の研究、それに月刊文藝春秋に長年連載した、日本近現代史を東大と官僚制度と天皇との関わりから詳述した『天皇と東大』などがあります。また一九九六年からは東大で講義を始め、若い世代の教育に力を注ぎました。立花は二〇二一年に八十歳で亡くなりました。残された私たちにとっては、その知識をまさに彼の「肩の上に乗って」自分なりに吸収し、知を追い求めるのが、課題なのでしょう。

『宇宙からの帰還』を読んだ司馬遼太郎

戦後の国民的作家ともいわれ、『竜馬がゆく』『坂の上の雲』『街道をゆく』などで知られる司馬遼太郎は、立花と一九八三年に初めて対談しています（「宇宙飛行士と空海」『人類と宇宙の未来　宇宙を語るⅡ』）。その冒頭で司馬は、当時出版されて間もない『宇宙からの帰還』を、「毎晩寝る前に、たのしみで二週間かけて少しずつ読みました」と語っています。そして立花にこう言いました。

> この本で、哲学的な衝撃をみんな受けると思う。受けなかったら、ちょっとおかしいし、人類の精神史の上でも、ちょうど受けるべき時期に来てると思う。

私自身も宇宙飛行士の内面世界をインタビューしたこの本には、深い感銘を受けました。彼らのなかで地球に帰ってから、その宗教観、世界観、人生観にどのような変化があったのか、なかったのか。宇宙飛行士といえばアメリカ人しかいなかった時代に、立花は数多くの宇宙飛行士経験者を訪ね歩き、インタビューしました。その記録である『宇宙からの帰還』は、彼の代表作のひとつです。特に印象に残っているのは、ジーン・サーナンという宇宙飛行士のこの言葉でした。

> 宇宙体験から私が得たものは大きい。宇宙体験は私を精神的に豊かにした。内面的には、人間は過去の経験から切り離せない。内面的には今の私を宇宙体験から切り離す

ことはできない。（中略）
――内面においてあなたが得たもので、何が一番大きかったのか。
神の存在の認識だ。神の名は宗教によって違う。キリスト教、イスラム教、仏教、神道、みな違う名前を神にあてている。しかしその名前がどうあれ、それが指し示している、ある同一の至高の存在がある。それが存在するということだ。宗教はすべて人間が作った。だから神に違う名前がつけられた。名前は違うが、対象は同じなのだ。宇宙から地球を見るとき、そのあまりの美しさにうたれる。こんな美しいものが、偶然の産物として生まれるはずがない。ある日ある時、偶然ぶつかった素粒子と素粒子が結合して、偶然こういうものが出来たなどということは、絶対に信じられない。地球はそれほど美しい。何らの目的なしに、何らの意志なしに、偶然のみによってこれほど美しいものが形成されるということはありえない。そんなことは論理的にありえないということが、宇宙から地球を見たときに確信となる。
サーナンはみずから「熱心な信者というわけではないが、神は信じている」と、カトリック信者であることを認めています。その彼が、「諸宗教の神は唯一の神の別の名前にすぎない」という考えに至ったのです。宇宙体験の前からそういう考えがあったのかどうか、

また、唯一の神とはキリスト教の神ということか、という立花の問いに、

　ぼんやりとは前からそう思っていた。しかし、宇宙から地球を見たとき、それはゆるぎない確信になった。神は唯一の神以外ではありえないと思った。そして、宇宙体験を重ねるたびにその確信は強められた。

　どの宗教の神が上位ということではない。我々がいう〝ＧＯＤ〟も、唯一の至高の存在に対してつけられた、一つの名前だ。私はどの宗教も基本的によきものだと思っている。

と答えています。

新しい哲学・宗教の始まりへの期待

　司馬遼太郎が「この本で、哲学的な衝撃をみんな受けると思う。受けなかったら、ちょっとおかしいし、人類の精神史の上でも、ちょうど受けるべき時期に来てると思う」とまで断言したのは、そこに新しい哲学の芽生えの可能性を感じたからでした。右の言葉に続く司馬の発言を咀嚼《そしゃく》すれば、既成の宗教が力を失いつつある現代であるが、といって現在「新しい世界把握の哲学、自分を統御する哲学」が生まれているわけでもない。今からそ

れを生み出す「古代的な天才」――キリストや釈迦やソクラテス――が現われる可能性もない。そういう状況の下でこの書を読むと、宇宙飛行士の経験のお蔭で、「二流の天才」でも「新しい世界把握の哲学、自分を統御する哲学」の創出ができるのではないか、そうした「感覚世界を造れる」のではないかと思った、というのです。

そしてこうも言います。「空海の場合は感覚として宇宙旅行しきった人かもしれませんね」（司馬には『空海の風景』という名作があります）。というのは、空海にも宗教的な開悟につながるある種の神秘体験があり、それが宇宙体験のようなものだったのではないかと考えられるからです。

事実、宇宙体験によって一瞬に宗教的真理を得たというエド・ミッチェルという元宇宙飛行士が、このような神秘体験は宇宙体験でなくても得られるであろうと言っています。

> どんな神秘体験にも引き金になるものがある。私の場合は、たまたまそれが宇宙から地球を見るという体験だったということだ。同じ体験を別の人は高い山に登って地上を見たときに得られるかもしれない。私が山の高さではなく、何万マイルもの高みに登らなければ、その体験が得られなかったのは、多分、私の精神がかぶっていた殻が固すぎたからだろう。

ミッチェルは神秘体験に特徴的なのは、そこにいつも宇宙感覚があることであり、その体験を持つために宇宙は最良の場所だと言います。自分のような「精神の殻の固い」——宗教的素質の乏しい——人間は、宇宙体験をすることで初めてこれを感じたが、「歴史上の偉大な精神的先覚者たち」であれば、宇宙に行かずして、この地上にいても宇宙感覚をもつことができるのだ、と説きます。

空海の神秘体験とは、どのような体験でしょうか。若き日、室戸岬のある洞窟で瞑想にふけっていたところ、たちまちに金星が上空から接近し、自分の口の中に入ったというのです。空海は弟子が編んだ『御《ご》遺告《ゆいごう》』の中でこう言っています（『空海の風景』）。

> 土佐の室生《むろう》門《と》崎《ざき》に寂留《じゃくりゅう》す。心に観ずるに、明星《みょうじょう》口に入り、虚《こ》空蔵光明《くうぞうこうみょう》照らし来りて、菩薩の威を顕はす。

これを司馬は、空海唯一の神秘体験と言い、「彼がちょっとわれわれと違う体験をするのは、彼の書いたものではこれが一つです。これしかない。これは信じてやらなきゃ空海は成立しないと思う」とまで言いきっています。

宇宙の虚無の恐怖

司馬と立花は、宇宙飛行士が船外作業をするときの「真の闇」についても語り合っていました。エド・ギブスンという宇宙飛行士は、五時間から七時間にわたる船外活動を三回行ったことがあるといいます。彼は、

> 地球から宇宙を見るのと、宇宙空間から見るのとは、全く違う経験だ。（中略）
> 誰でも宇宙空間に出れば、現実に圧倒される。その眺めの素晴らしさは、いくら味わっても味わい尽くせないほどのものだ。

と言いますが、一方で、

> 同時に宇宙というのは気味が悪いところでもある。

とも言います。それは船外活動に一人で出たときの体験です。船外で故障した機器の修理を忙しくしていた彼が、ふと気がつくと夜間、船外にポツンと浮いていることに気づいたのです。

> 宇宙の夜の部分の暗さといったら、ほんとの真暗闇で何も見えない。深い淵の中に落ち込んだように何も見えない。そして、たった一人でそこに浮いている。その時、何ともいえぬ気味の悪さに襲われた。頭のてっぺんから爪先までゾッとするような気味

の悪さが全身を浸していた。光がなく、何もなく、私以外何も存在していないという世界の気味の悪さ。

ジーン・サーナンも言いました。

宇宙船の中に閉じ込められているのと、ハッチを開けて外に出るのとでは、全く質的に違う体験だ。宇宙船の外に出てはじめて自分の目の前に全宇宙があることが実感される。宇宙という無限の空間のど真ん中に自分という存在がそこに放り出されてあるという感じだ。その時のセンセーションに比べれば、地球軌道を離れて月に向かうとか、月の上を歩くといったことはそう大したことではないといえるくらい、それは大きな違いだ。

これに衝撃を受けた司馬は、

それは恐ろしい感じですね。本当の虚空という感じですね。要するに空海なんかがつかってた虚空。

と感想をもらします。

立花は、

観念では完全な虚無というのは、昔からいろんな哲学者なんかが言及したけれども、現実に目の前にイメージとして完全な虚無があるというのは、ものすごく恐ろしい体験だと思いますね。

司馬はこれに同意しますが、そのあとにこうも言いました。

宇宙の虚無は、一切の生物を作り出す条件を持っていない。光というのはそこに青い地球があるだけだ。その地球もだんだんピンポン球ぐらいになっていく。そして帰って行くときには急行列車のように地球に向って帰って行く。地球はどんどん大きくなる。この凄みというのは、人間の既存の何かを変えてしまうでしょうなあ。森羅万象の捉え方という哲学的なものを変えてしまうでしょう。

「ヒトという種全体が大きく変わる」

宇宙体験によって、「新しい世界把握の哲学、自分を統御する哲学」が生まれるのではないか、そうした「感覚世界を造れる」のではないか、と思ったと司馬は言いました。先ほども引用したエド・ミッチェルは、この宇宙体験によって宗教に目覚め、歴史上の賢者たちが精神的知的修練を積んではじめて獲得できた境地を「宇宙空間に出るという行為を通して容易に獲得した」のだと言い、しかもこの体験は「個人的体験にとどまらず、人類にとって大きな意味がある」と言いました。

自分の体験は「人類の進化史における転回点」だとし、「進化の方向ははっきり」していて、それは「人間の意識がよりスピリチュアルに、より拡大する方向」であり、その先にはイエスや仏陀やムハンマドのような「先導者」に続いていくことができ、やがて「ヒトという種全体が大きく変わる」のだというのです。こうした思想は、彼自身も認めているように、テイヤール・ド・シャルダンという科学者・思想家の影響を強く受けたものでした。そしてこの思想・世界観には、立花隆自身も以前から惹かれていたようです。

テイヤール・ド・シャルダンの思想

立花が東大で一九九六年に「人間の現在」という題で講義を行った記録をまとめた『サピエンスの未来　伝説の東大講義』は、ほとんどまるごとこのテイヤール・ド・シャルダンの思想の紹介と解説とに割かれています。但しシャルダンという人を、実は私もこの本を読むまで全く知らなかったことを告白しなければなりません。フランスのイエズス会神父で、しかも進化論者で古生物学者だった人で、二十世紀のヨーロッパでは彼はアインシュタインと並ぶ「知的巨人」だったといいます。その思想を一言で要約するのはまことに難しいのですが、その基礎には進化論があります。立花は言います。

> 世界のすべては進化の過程にある。一般に進化というと、生物進化のことだと思われがちだが、進化するものは生物だけではない。万物が進化するのだ。物質も進化する。物質が進化したからこそ、生命も誕生したのである。宇宙も進化した。宇宙が進化したからこそ、宇宙はビッグ・バン時代のままにとどまらず、銀河系が生まれ、太陽系が生まれ、地球が生まれたのである。人間社会も進化してきた。だから、この地球のほとんどどこでも、古代専制国家はなくなり、奴隷制社会はなくなり、封建主義国家もなくなっている。

ここでいう進化とは、ダーウィンのいう適者生存による遺伝子の自然淘汰といった狭い意味の進化論ではないでしょう。立花が言うには、一世代毎に「少しずつ変異が蓄積」されていき、その蓄積が「一定のリミットを超えたときに、形質を全く変えてしまうような大変化が起こる」。このようにして「形質を変化させたもの同士が激しい生存競争を展開し、勝ち残ったものは次の再生産で子孫を増やしていく、敗北したものは再生産できずに消えていく」。そうした長い時間軸の大きな変化のことです。

超人間の出現

シャルダンは、生物は最初、進化によって微生物のような低レベルの意識を持つようになったが、人に至ってそれはずっと高度なものとなり、初めて「自分が知っているということを知る」内省的自意識がもてるようになったと考えました。これによって人間は未来を予見したり、プランを立てたりすることができるようになった。この省察力の獲得によって、人類は種として染色体の変化は無くとも、進化ができるようになった。人間が獲得したこうした省察力や意識が複雑化することで、より高い次元の意識を獲得し、未来にはこの地球全体を自分の生活圏、生存圏と正しくとらえ、その立場から地球全体をケアしていかなければならないと考えるプラネタリーな意識の持ち主になると想像しました。立花が取材した宇宙飛行士のように、地球を外から丸ごと目《ま》の当たりにした経験や、そうした直接の経験はなくとも、広い宇宙空間にただひとつ浮かぶ青い地球を捉えた写真を見た我々現代人もまた、既にそうした存在と言えるでしょう。

人類が意識を複雑化させていった先、進化の果てに至る地点とはどのようなものか。シャルダンは、その時、人間は人間を超えた「超人間」になるだろうと予言しました。未来社会において人間の意識の複雑化が更に進み、臨界点を超えたとき、人間が人間を超えた存在になると彼は主張しました。その先に存在するのは「神」です。

こうした人間観・歴史観は、近年話題になっている『ホモ・デウス』のユヴァル・ノア・ハラリの見方と共通性があると指摘されています。この点では、早くにシャルダンを再評価した立花隆には先見性があったともいえるでしょう。

シャルダンの思想・世界観には、キリスト教が影響していると言われていますが、立花は両親が無教会主義のキリスト教徒だったこともあってキリスト教には詳しく、その思想に親和性もあったようです。

立花隆の遺言

二〇二一年四月に立花が亡くなった後、猫ビルの通称で知られた彼の仕事場に収められた蔵書は、遺言によりほとんど古書店に売却されたそうです。記念館のようなものを作ってそこに収めたりは絶対にするな、という固い遺志だったと伝わっています。これをどう見るのか、中にはきわめて虚無的に捉える人もいますが、そうではないでしょう。

自分が読んだ本が誰にも読まれず記念館にきれいに展示されているだけ、というのを立花は最も嫌ったのだと私は思います。自分が買い、読んだ本は自分が死んだ後、またこの本を必要とする人に選ばれ読んでもらいたい。そうであってこそ自分の知的探究がまた次の世代に継承され、発展していくのだと考えていたに違いないのです。

知の巨人・司馬遼太郎

立花と宇宙体験について、そして空海について語り合った希代の作家、司馬遼太郎もまた知の巨人と呼ばれるにふさわしい人物でした。彼の発表した数ある歴史小説は、のちになって史実との差異が論《あげつら》われたりすることも増えてきました。小説なのか史伝なのか、その虚実の皮膜が巧みすぎて区別がつかなくなるところがあったのは事実です。次第に歴史小説から歴史エッセイや紀行文、文明批評のようなものへとシフトしていったのは、その辺りの自覚もあったのかもしれません。それでも晩年の『この国のかたち』『十六の話』『「明治」という国家』などの歴史考察、長年にわたって綴られてきた『街道をゆく』、ドナルド・キーンとの対談『日本人と日本文化』、海音寺潮五郎との対談『日本歴史を点検する』、歴史家林屋辰三郎との対談『歴史の夜咄《よばなし》』などを読むと、その知識の広さ、深さに舌を巻きます。そしてその座談のうまさ、自由な発想、深い人間味、大阪人らしいユーモアと反骨精神に、私なども敬愛の念を抱くのです。

司馬は元々産経新聞社の記者でもあったので、ジャーナリスト精神のような広い知的好奇心と常識人の健全性がありました。そして彼の探究心の対象は日本という国でした。一九二三年生まれで、太平洋戦争中に兵役についた彼には、なぜ日本がこのような戦争を起こしてしまったのか、国民の生命を軽視する陸軍のような存在がどうして生まれたのか、という根本的な疑問が根底にありました。若き日のその疑問に答えるために彼は終生学び続けたようなものだと言っています。

「二十一世紀に生きる君たちへ」

その司馬が晩年に小学校の教科書のために書きおろしたのが、「二十一世紀に生きる君たちへ」（『十六の話』）という文章です。世評高い珠玉のエッセイですが、すこし紹介させてください。ここで彼は冒頭、

> 私は、歴史小説を書いてきた。
> もともと歴史が好きなのである。両親を愛するようにして、歴史を愛している。

と表明します。そして、

> 歴史とはなんでしょう、と聞かれるとき、

「それは大きな世界です。かつて存在した何億という人生がそこに詰め込まれている世界なのです」

と、答えることにしている。

と言います。そしてこのように語ります。

私には、幸い、この世にたくさんのすばらしい友人がいる。歴史の中にもいる。そこには、この世では求めがたいほどにすばらしい人たちがいて、私の日常を励ましたり、慰めたりしてくれているのである。

だから、私は少なくとも二千年以上の時間の中を、生きているようなものだと思っている。この楽しさは――もし君たちさえそう望むなら――おすそ分けしてあげたいほどである。

ここで司馬は、歴史を学ぶ喜び、本を読む楽しみ、教養を身につけていく人生の喜びを述べているのでしょう。もちろん現実にこの世で会うことの出来る友人も大事だが、我々は古今東西の書をひもとき、先人の言葉を読むことによって「この世では求めがたいほどにすばらしい人たち」と出会い、彼らに励まされたり、慰められたりすることができる。この秀逸な表現には納得させられます。

そして彼は、自分はもうこの世にいないであろう二十一世紀を生きることになる小学生に対し、「歴史から学んだ人間の生き方の基本的なことども」を伝えたいと言います。そうは言っていませんが、これは次代を生きる若い世代への遺言のようなものでしょう。彼が後生に伝えたいことは二つありました。

司馬の残した二つの遺言

一つは、人間は自然によって生かされてきたということ、自然こそ不変の価値であり、そのことを古代や中世の人々は自覚し、自然を神としておそれ、崇《あが》めてきた。しかしその態度は近代や現代に入って少し揺らぎ、人間こそいちばんえらい存在だと、自然への恐れがうすらいでしまった。しかしあらためて二十一世紀は「私ども人間は自然の一部にすぎない」という素直な気持ちを取り戻さなければならないと説くのです。この自然への素直な態度こそ二十一世紀への希望であり、こうした気分が世界に広まれば、自然の一部である人間同士もまた、二十一世紀は前世紀にも増して尊敬し合うようになるに違いないと言います。

二つめは、君たち自身の自己——自分にきびしく、相手にはやさしく、そして素直でかしこい自己――を確立することが、特に二十一世紀には重要だといいます。人間は決して孤立して生きられる動物ではないと言い、そのため人には助け合うことが大きな道徳になっている。他人の痛みを感じること、いたわり、やさしさ、それらを訓練して身につけなさい、と彼は言います。こうして作られた根っこの感情が自己の中でしっかり根付いていけば、他民族へのいたわりという気持ちも出てくるし、「二十一世紀は人類が仲よしでくらせる時代になる」に違いないと述べました。そうすれば、「頼もしい人格」になれる、とも言いました。

この二つを司馬は「いつの時代になっても、人間が生きていく上で欠かすことが出来ない心がまえというもの」と表現します。いまコロナ、気候危機、そしてロシアによるウクライナ侵攻、世界各地での民族や人種その他のマイノリティーへのヘイトなど、二十一世紀の愁うべき世界を知る私たちには、この司馬の遺言は胸に響くものがあります。ある意味、彼は未来を予見していたのではないか、とすら思えてきます。

司馬と立花が驚嘆した天才・井筒俊彦

この司馬遼太郎が、「二十人ぐらいの天才らが一人になっている」(「対談　二十世紀末の闇と光」『十六の話』）と畏怖した学者がいます。また立花隆が「日本にこういう本が書ける人がいるんだとひどく感銘を受けた」「すごい学者」「すごい人」（『知の旅は終わらない』）と言い、二十歳代後半の自分は「ぼんやりと自分の将来について、まあ、哲学関係の学者になってもいいなぐらいに思っていた」が、「井筒さんを知ってから、きっぱりとその考えを捨てた」「私は井筒さんに出会うことで、職業選択の誤りを犯さないですんだ」（若松英輔編『井筒俊彦ざんまい』）とまで驚嘆した人がいます。東洋哲学・言語学を専攻した井筒俊彦という学者です。

　井筒は慶應義塾大学を卒業し、のちに母校の教授になったのですが、その後、京都大学が迎えようとしたのを「慶應の宝」を守らねばと、彼のために新たに研究所が設けられ、研究に専念できる環境を用意して、慶應が移籍を食い止めたという逸話（坂本勉・松原純一編『井筒俊彦とイスラーム』）の残っている人です。

　一九六八年、五十四歳までは慶應義塾大学教授でしたが、その後、カナダのマッギル大学教授、イラン王立哲学アカデミー教授を務めました。一九七九年、イラン革命勃発により帰国を余儀なくされた彼は、十年ぶりに日本に帰国し、以後没するまでに代表作『意識と本質』『意味の深みへ』『東洋哲学覚書　意識の形而上学　大乗起信論の哲学』などを著しました。

井筒は、英・仏・独・ラテン語などはもちろんアラビア語などをこなし、イスラム思想と中国の禅仏教、『荘子』など道家の思想を幅広く自由自在に渉猟して論じました。司馬との対談で若いころからの勉学をふりかえり、

いろんなことに興味をもってやりましたけれども、そのかわり非常に浅薄なんです。

と謙遜していますが、それでも、

ただ、この世に生まれてきて、こんなにおもしろいことがたくさんあるのにそれをやらないで、いわゆる専門の蛸壺《たこつぼ》に入り込むということは、ちょっとしたくなかったのです。

とふりかえっています。

井筒が目指した東洋哲学全般を見渡す哲学

実に多面的かつ深遠な井筒の研究の全貌を捉えることは、いまの私には到底かないませんが、晩年の彼が目指していたのは、司馬遼太郎との対談でも語っている「東洋哲学全般を見渡すような哲学をつくりたい」ということでした。その東洋とは「ギリシア以東」つ

まりイスラム、インド、中国、日本、そしてギリシアも含む地域の「それらを総合したような世界を考えて、その世界に通用するひとつの普遍的なメタ的な言語を哲学的につくりだせれば理想的だ」というものでした。

「ヘレニズム（ギリシア文化）とヘブライズム（キリスト教・ユダヤ教の文化）という二本の柱」によってまとまりをもつ西洋哲学と異なり、イスラム、インド、中国、日本等を含む東洋哲学という概念には、これまで全体的な統一など存在しなかったと井筒は言います。歴史も地域も思想内容もそれぞれ異なるまま現在に至っているこれら諸思想の伝統を「時間軸から外し」、「範型論的（パラディグマティク）に組み変えることによって、それらすべてを構造的に包み込む一つの思想的連関空間を、人為的に創り出そうとする」作業が必要だというのです。そうすることによって、「東洋人の哲学的思惟を深層的に規制する根源的なパターン」を探り当てようというのです（『意識と本質』）。そのうえでさらに「東洋哲学の磁場のなかから、新しい哲学を世界的コンテクストにおいて生み出していく努力をし始めなければならない時期に今、我々は来ているのではないか」と述べています。

立花隆と司馬遼太郎が宇宙飛行士の体験を止揚するところから新たな宗教・哲学の誕生を想定したように、井筒俊彦もまたあらたな総合的な哲学——それは東洋と西洋の文化を高い次元で統合したものでした――を構想していたのでした。アプローチの仕方は全く異なりますが、彼らが思い描いていた新しい哲学・宗教には共通するものがありました。それは、これまでの諸宗教・思想の違いや対立を超え、これらを包含する普遍的な哲学・宗教を構想していた点です。

もう一人の巨人・松本清張

立花隆、司馬遼太郎、井筒俊彦に劣らぬ旺盛な知識欲の持ち主として、私はもう一人の作家を思い出さずにはいられません。松本清張です。

この昭和を代表する文豪の関心の対象は、きわめて広いものがありました。有名な戦後の社会派推理小説の祖というにとどまらず、明治から太平洋戦争、戦後の占領期に至る日本近現代史の暗部を探究したジャーナリスト、歴史家の貌《かお》も、また日本古代史について当時のアジアのなかで捉え、自由にイメージを広げ追究した古代史家の貌もありました。

推理小説作家としての代表作は『点と線』『ゼロの焦点』『砂の器』などでしたが、近現代史ノンフィクションの代表作は『日本の黒い霧』、大作『昭和史発掘』、古代史研究の著作としては『古代史疑』『清張通史』などがあります。彼もまた知の巨人というにふさわしい人でした。

謎多い屈辱と劣等感の前半生

彼のライバルともいうべき司馬遼太郎は、学校での勉強は苦手で身につかなかったと告白していますが、それでも大阪外国語学校蒙古語部（現在の大阪大学外国語学部）を卒業し、産経新聞社に記者として入社しています。学校で身につかなかった学識は、新聞記者時代にいわば独学で、あるいは取材過程で一対一で学者と対話する中で培われました。

　これに比べ、清張はもちろん頭脳優秀の才は子供のころからあったはずですが、貧しい家の生まれのため、高等小学校を卒業してすぐ郷里の福岡県小倉で働き始めました。本当は新聞記者になりたかったけれども、印刷工を経たのち、朝日新聞社西部支社で広告の意匠係として採用され、そこで随分と学歴のないことによる差別や屈辱を味わったと言います。「私は自分が常に蔑視されていることを承知していた」ために、「高等小学校卒という劣等感を払い除《の》けるための努力」を惜しまなかったといいます。「負けまいとする意欲はいつも持って」いて、「その闘志自体が何か心の支柱のような気がした」と後年、語っています（『実感的人生論』）。

作家としてのデビューは四十一歳で懸賞小説が入選したことがきっかけで、遅咲きの出発でした。そこから彼の才能と学識が爆発していくのです。

旺盛な好奇心・探究心

　五木寛之が清張との対談で、その著作の幅の広さ、貪欲さに感心し、これほどまでに幅広い仕事に駆り立てている「燃える源泉みたいなもの」は何なのかと尋ねています。清張は、「それは好奇心ということだけだよ」と答え、さらに尋ねられると、自分は人よりも精神的な発達が遅いのか、「今ごろになって中学生のように好奇心が旺盛だからなんだね」と言いました。自分のような「尋常小学校の高等科までしか行っていない」し、「文学とは縁もゆかりもない仕事をしてき」て、「全く偶然のことから小説を書くようになった」者には、「誰でも未知の世界に踏み込んだときは好奇心が溢れ出るだろう。それと同じ現象なんだ」と答えています（松本清張・五木寛之対談「清張ドキュメンタリーの源泉」『松本清張対談集　発想の原点』）。

　そして彼は「時間が足りない。書きたいものが多すぎる」——遅咲きの自分には、残された時間がないと、しきりに言いました。古代史と現代史、現代推理小説と時代小説とを並行して書き進めたのは、気分転換のためだと言っていますが、それだけでなく、残り時間の少なさを考えてのこともあったようです。それにしても、高等小学校しか出ていない、その後はずっと社会の底辺に近いところで働きづめだった彼が、いつどこで、のちに開花させる巨大な教養と学識を積んだのか、今もなお謎の部分が多いのです。

いずれにせよ、彼もまた立花隆が言うところの「生涯自己教育」をした人であったことは間違いありません。「自分で学習対象をつかみ、学習内容も自分で決め、学習方法も自分で発見して」いった知の巨人なのです。とりわけ清張が執念を燃やしたのは、隠された歴史の追究でした。

清張の昭和史追究

なかでも白眉なのは『小説帝銀事件』や『日本の黒い霧』の「下山国鉄総裁謀殺論」、『昭和史発掘』の「陸軍機密費問題」「石田検事の怪死」「佐分利公使の怪死」、そして大作となった「二・二六事件」、また『史観宰相論』など近現代の日本のあゆみでした。

その多くは、軍部の権力が次第に強まり、言論の自由が狭められ、戦争に向かっていった日本のプロセスです。その過程で、田中義一首相・元陸軍大将の陸軍機密費問題を追及していた石田基《もとい》検事が暗殺され、中国との戦争回避を図っていた佐分利貞男公使が箱根のホテルに宿泊中にピストルで殺されたのです。いずれも真犯人は解明されていません。

このうち「佐分利公使の怪死」が『昭和史発掘』に書かれたのが、一九六五年九月、事件から、三十六年後のことです。取材を担当された文藝春秋の藤井康栄さんは、発表後、社に「月夜の晩ばかりではないぞ」という脅迫電話があったこと、実際に深夜の帰宅途中、藤井さんの乗る最終バスに一人の男が乗り、ずっと乗客は二人だけで、バスを降りてからもあとをつけられたことを明かしています（藤井康栄『松本清張の残像』）。

終生続いた追究

清張は八十二歳で亡くなる最晩年まで、これら未解明の事件について心を砕いていました。藤井さんは、病床の清張と交わした最後の話題がこの事件のことだったと明かしています。ご家族の許可を得て病室に入った藤井さんに、清張は「すぐに仕事の話を始め」、「突然この佐分利公使の話となり、いいところまで追いつめた黒い手の影を思い出したらしく、二人であれこれと細部にわたる話をした」というのです。元の原稿を書いてから四半世紀も経っていましたが、ずっと真実の追究をあきらめていなかったのでした。

戦後も怪事件が相次ぎ、これらの多くにGHQが関与していた疑いを清張は推理しました。下山事件にしても帝銀事件にしても、発表当時は彼の説は奇説とみなされた向きもありましたが、今や賛同する人のほうが多数派になっていると言っていいでしょう。清張は、権力によって真実が覆い隠されること、エリートの権力によって下積みの人々の努力が無にされることに何よりも強い憤りを覚えました。

ロッキード事件・グラマン事件の謎

現代史の暗部に迫る清張の追究は、田中角栄や児玉誉士夫などの金脈に迫った立花隆にも共通します。立花が一躍世に知られることになった「田中角栄研究」は、ペンが権力を倒した実例としてあまりにも有名です。田中元首相が逮捕されたロッキード事件の追及も厳しいものでした。それでも、後に立花自身が語っているように、この事件にはまだ未解明の部分が多く残されています。田中以外にも逮捕されるべき大物がいたのではないか。あるインタビューで立花はこのように発言しています。

それはもう謎だらけですよね。細かく挙げていけばいくらでもある。中曾根康弘は事件にほんとのところどこまで噛んでたのかね（文藝春秋特別編集『立花隆のすべて』）。

中曾根康弘と岸信介。この二人が田中とともにこの疑獄事件に関わっていたらしいのは、当時から推測されていましたが、近年あらためてロッキード事件の関係資料を調査した春名幹男も真山仁も、岸と中曾根がうまく訴追を免れたことを推測しています。立花はグラマン事件について触れた先のインタビューで「岸信介元首相の突然の政界引退は、明らかに田中の二の舞を避けるために、検察と話し合いで辞めたとしか考えられない」、「検察の捜査は秘書の周辺から岸そのものに迫っていた」とも語っています。

松本清張が最晩年まで追い続けた『日本の黒い霧』と同じようなことが起きていたのでしょう。清張も立花隆も隠された歴史の暗部に肉薄していたのでした。

清張古代史の魅力

近現代史のみならず、清張が古代史にも切り込んでいったことは周知の事実です。彼は邪馬台国問題では九州説を主唱し、『魏志』倭人伝の解釈にも様々な新説を提示しました。七~八世紀の日本にペルシアの文化が流入していたことを、飛鳥の酒船石など謎の石造物や『日本書紀』の記述から推測しました。今ではその所説は学説史上、乗り越えられてしまったものも多いのですが、右に述べたような視点のグローバルさは斬新で学界にも刺激を与えました。偏見の強かった蘇我氏を再評価したことなどは、今でも彼の慧眼を実証しています。

立花隆、司馬遼太郎、井筒俊彦、松本清張、それぞれ重なるところもあれば、ただひとりの個性もあります。皆、もちろん知の巨人と言える人たちです。彼らの肩の上に乗って、遠くを見はるかすことができたら、それが私の希望です。

第一章　人類の進化と心のルーツ

人類とは何か

人間とは何でしょうか？　ほかの動物とどこが違うのでしょうか？　我々人類の特徴はご存じのように、直立二足歩行ですよね。チンパンジーもゴリラも前かがみで、ほとんど両手をつきながら歩きます。これに比べて人類は背筋を伸ばした姿勢で両足だけで立って歩きます。これは、五〜六百万年前のアウストラロピテクスの段階から実現していたようです。かつては、立ち上がって両手があいたので道具を使うようになった、といった理解があったようですが、立ち上がったことと道具の使用にはかなりの時間差があることが最近明らかになってきました。

近年では、二足歩行するようになったのは、家族のために両手で食物を運ぶようになったからではないか、というオーウェン・ラブジョイという学者の説が有力になってきているようです。オスが食物を調達し、それをパートナーであるメスと子どもたちが待っているところへ運ぶ、これはひとえに家族があるからです。つまり、母親だけでなく父親という存在があり、両親二人で子どもを養っていく、という関係があるからなのです。子どもの世話にかかりきりになる母親の代わりに父親は食糧を調達に行き、それを愛する家族のために両手で持って帰る、こういった家族のありようは人間特有のことであり、このことと直立二足歩行は絡み合っていると、ラブジョイはいうのです。これは私にも説得力のある見解のように思えますが、この説には批判もあるようで、今も議論が続いています。

猿人→原人→旧人→新人という進化の過程については、読者の皆さんもご存じのことでしょう。中学や高校の教科書にもでていますから。但しこう書くと、この順番に一直線に進化していったように感じられるかもしれません。しかしそれは間違いです。この数百万年の間、各段階にいろんな猿人、いろんな原人、いろんな種類の旧人が生きていました。でも我々の直接の祖先以外の種はどれも絶滅したのでした。

今は滅んださまざまな化石人類たち

これまでの人類の進化の研究には、アフリカなどで化石人骨の発掘を行ってその分析をしていくもの、現存する生物の中では最も人類に近縁の類人猿（チンパンジー・ボノボ・ゴリラ・オランウータンなど）の生態から辿っていくもの、化石人骨に残されたＤＮＡのゲノム解析から解明していくものなどがあります。このうち近年、ＤＮＡ分析からの解明が進んでいます。

篠田謙一の『人類の起源』にはその最新成果がまとめられていますが、これによると、チンパンジーの祖先と人類の祖先が枝分かれしたのは、今から約七百万年前といいます。そして姿形などからホモ属（人類）と認められる種が最初に誕生したのはおよそ二百五十万年前から二百万年前、南アフリカに生活していたアウストラロピテクスやパラントロプスといった種（いわゆる猿人）です。彼らは完全な直立二足歩行を始め、脳の容積も急速に拡大していきました。

百九十万年前から百五十万年前になると、いわゆる原人とよばれるグループの化石がアフリカだけでなく中国やジャワでも発見されるようになります。これらをホモ・エレクトスといいます。それまでアフリカを出ることのなかった人類の祖先がこのとき初めてアフリカ以外に拡散していったのです。彼らは長く生息し、ジャワ島では二十万年前まで生きていました。彼らと同じ系統のインドネシアのフローレス島にいたホモ・フロレシエンシスという種は、つい六万年前まで生きていました。身長が一メートルという小型の人類でした。

ネアンデルタール人

ネアンデルタール人（いわゆる旧人）が生まれたのは、およそ三十万年前とされます。

彼らの化石人骨は、ヨーロッパから西アジア、シベリア北部にわたるユーラシア大陸の西半部に分布していました。身長は一五〇～一七五センチメートル、がっちりとした体格で体重は六四～八二キログラムでした。実はもうひとつ同時期に拡散していた種がいます。南シベリア一帯に生息していたデニソワ人です。

二〇二二年にノーベル生理学・医学賞を受賞したスバンテ・ペーボは、DNA研究からネアンデルタール人やデニソワ人と私たち現生人類（ホモ・サピエンス）との間に交雑が繰り返されてきたこと、すなわち両者は数十万年にわたって互いに子孫を作りあっていたことを明らかにしました。つまり私たち現生人類のDNAには、ネアンデルタール人やデニソワ人のDNAが伝えられているのです。かつてはネアンデルタール人がなぜ絶滅したのかについて、私たちの祖先が彼らを滅ぼしたのではないかといった推測もありましたが、どうやらそうではないことがわかってきました。ホモ・サピエンスとデニソワ人・ネアンデルタール人とは、少なくとも数十万年にわたって共存し、互いに交雑して遺伝子を交換してきたのでした。

現生人類（ホモ・サピエンス）の誕生

現生人類（ホモ・サピエンス）が誕生したのは、アウストラロピテクス誕生の地と同じアフリカで、今から約三十万年前だったと見られています。その後、徐々に現代型のホモ・サピエンスとして完成していき、現代人と同じようなホモ・サピエンスが誕生するのは約十万年前といわれています。彼らがアフリカを出てユーラシア大陸に拡散していったのは約六万年前から五万年前。そして日本列島に最初にホモ・サピエンスがやってきたのは今から約四万年前のことだそうです。

篠田謙一によると、脳の容積はチンパンジーやゴリラは三〇〇～四〇〇ミリリットルですが、アウストラロピテクスは四〇〇～五〇〇ミリリットル、北京原人やジャワ原人は九三〇ミリリットル。ネアンデルタール人になると一四五〇ミリリットルで、ホモ・サピエンスの一四九〇ミリリットルとほとんど変わらなくなります。ただ違うのは、ネアンデルタール人は後頭葉が大きいのに対して、ホモ・サピエンスは前頭葉が大きいことで、前頭葉には思考や創造性が担われているそうです。

化石人骨のＤＮＡ分析の進展により、こうした進化のプロセスはかつてより随分解明が進んできました。ただ、そのメカニズムや自然淘汰の要因についてまで、すべてＤＮＡが教えてくれるわけではありません。化石から判明するＤＮＡだけでは、彼らがどのような生活をしていたのかは、なかなかわかりません。ホモ・サピエンスのみが生き残り、他の人類は絶滅してしまったとすれば、その理由はどこにあるのでしょうか。ネアンデルタール人など旧人にないどういう能力を私たちの祖先は持っていたのでしょうか。こうしたことを考えていくには、やはりチンパンジーやボノボといった類人猿と人類の生態の比較や、さまざまな分野からのアプローチが必要になります。

チンパンジーとボノボ

現存するなかで人類と最も新しい時期に枝分かれした種は、チンパンジーとボノボであることが知られています。ボノボは今から約百万年前にチンパンジーの祖先と枝分かれした別の種とされている類人猿です。生息するのは、アフリカ中央部の赤道付近、コンゴ盆地。外見はチンパンジーと酷似しているので別種であることが判明したのは比較的遅く、九十年ほど前で、それまではチンパンジーとして捕らえられ、世界各地の動物園などに送られていたようです。よくみるとボノボの方がチンパンジーよりややほっそりしていて手足が長く体長、体重ともにやや小さいといわれています。日本では京都大学旧霊長類研究所の黒田末寿・加納隆至《たかよし》・古市剛史などが中心となって観察を続けてきました。
これらの研究者によると、何よりも違うのはその性質で、チンパンジーは比較的気が荒く、特にオスは群れの中で熾烈な順位争いが展開されるのに対して、ボノボは穏やかで争いを好みません。オスとメスの関係もチンパンジーは明らかにオス優位なのに対して、ボノボのオスとメスは対等ともいえる関係です。他の群れとの関係でも、チンパンジーは時に隣接する群れを抹殺してしまうことがあるほど暴力的なのに対し、ボノボは友好的だそうです。

ボノボの特徴に、チンパンジーよりも明らかに背筋を伸ばして動作し、時に二足歩行をすることがあります。背中とお腹にそれぞれ子どもをかかえ、あいた両手に好物のサトウキビを抱えて歩く母親の外見は、私たちの祖先アウストラロピテクスもかくや、といった想像を呼び起こしてくれます。全体にボノボのほうがチンパンジーより柔和で聡明そうに見え、何となくヒトに近いようにも見えてしまうのです。しかし一方で道具使用に関してはボノボはあまり盛んではなく、チンパンジーのほうが得意です。どちらがよりヒトに近いとは一概には言えないのが、実際のところでしょう。

大人になる前に群れを離れるメスたち

立花隆は『サル学の現在』のなかでヒトを知るにはサルについて知らなければならない、と言いましたが、まさにその通りです。彼らの生活形態は、どのようなものなのか。たとえば、群れや家族関係は、育児のありようは、食料獲得の方法は？　いずれもヒトの原初形態を考える上でも、人間とは何かを考える上でも、本質的な問題です。

まずチンパンジーもボノボも四十〜五十人くらいの群れで生活をしていますが、彼らには父親はいません。もちろん生物学的には存在しますが、社会的には父親という存在はないのです。自分の父親が誰かはわかりませんし、オスにはどの子が自分の子どもなのかも明確にはわかりません。子育てはもっぱら母親がするわけです。

不思議なことにメスは生殖可能な年齢を迎える六〜十歳ころになると生まれ育った群れを離れ、少なくとも数日間はひとりで森の中を旅した後、見ず知らずの群れに入ってそこで生活するようになるそうです（山極寿一『家族進化論』、古市剛史『あなたはボノボ、それともチンパンジー?』など）。彼女は始めはよそ者ですが、次第にコミュニケーションをとって、正式に群れの一員として認められるようになり、やがてそこで子どもを出産するのです。ずっと生まれ育った群れに留まると、父親や兄弟と近親相姦をしてしまう危険性があるので、この習性は重要な意味があるのでしょう。それにしても生まれ育った群れを出て、見ず知らずの群れにひとりで入っていくメスたちの勇気には感心します。

メスはこうして出産すると、我が子が一人前になるまでの四、五年間は育児に専念します。常に我が子を背中に背負い、子も母の背にしがみついて一緒にいます。この間、メスは発情期の特徴であるお尻の辺りの性器をピンク色に腫らすことはありません。今育てている子が、独り立ちできる（自分で食料を得られる能力が身に付く）までは絶対にオスと交尾しないのです。ここは、出産後約一年で次の子を産むことのできる人間とは異なるところです。

人間には発情期がないので、一年中発情できるともいえるわけですが、そのことが子だくさんの原因ともいえるのでしょう。そのためヒトの母親は、たとえばひとつ違いの年子の乳幼児をふたり並行して育てなければならず、どうしても放っておかれる赤ちゃんが出てしまう。ヒトの赤ちゃんがよく泣くのに対し、チンパンジーの赤ちゃんはちっとも泣かないそうですが、松沢哲郎（『想像するちから　チンパンジーが教えてくれた人間の心』）によると、これはひとつには常にお母さんと密着しているので安心で泣く必要がないからです。それに対し、ヒトの赤ちゃんがよく泣くのは、すぐ上のお兄ちゃん、あるいはお姉ちゃんの世話をしているお母さんに、「ボクを見てよ！　ボクの世話をしてよ！」と訴えているのではないか、という説もあるそうです。

ゴリラの家族

ではゴリラの家族とはどういうものでしょう。日本のゴリラ研究の第一人者・山極寿一の研究にしたがって見ていきましょう。

ゴリラの家族は一夫多妻社会だなどと言います。チンパンジーやボノボと違って、ゴリラには父親という存在がいます。父ゴリラは数頭のメスと長期にわたって配偶関係を結び、彼女たちとその子どもたちを頼もしく養います。父親と子どもとのつき合いは、子どもが生まれた時から思春期に至るまで、あるいは父親が亡くなるまで続くのです。ゴリラの社会では、離乳期までの育児は主に母親の仕事ですが、それ以後思春期までは父親の仕事だといいます。

父親ゴリラ（シルバーバック）は、本当に心強いお父さんという印象です。母親を亡くした子どもにも優しく接して保護し、子どもたちがけんかを始めると弱い方を庇《かば》う。自分の子どもをすべて等しく扱い、えこひいきなどもしません。ただオスの子どもは思春期に近づくと父親と距離を置くようになり、やがて集団を離れて単独生活を送るようになるそうです。娘はというと、思春期に至っても父のもとを離れることはないそうですが、配偶関係を結ぶのを避けて、やがて他集団や他のオスのもとへ移籍していくようです。

ハーレム型社会といわれるように、複数のメスと継続的に配偶関係をもち、多くの子孫を繁殖させることのできるオスのゴリラですが、すべてのオスがそんな恵まれた生活を送れるわけではありません。こうした地位を得られるのはオス間の激しい競争に勝ち抜いた者だけで、そこからあぶれたオスたちは子孫を残すことすらできません。昆虫から類人猿に至るまで、オスとメスの体に大きな差がある生物は、すべてオスたちの間にメスを得るための激しい生存競争があり、その結果オスの体が大きくなっていったものなのです（これを性的二型といいます）。

ですからゴリラでもメスよりオスのほうがずっと体が大きいのですが、ではチンパンジーは、ボノボは、そしてヒトはどうでしょうか。オスとメスの体の大きさは、どれもそれぞれのオス・メス間の関係を反映していて、オスのチンパンジーの体重はメスに対して一・三倍、ボノボは一・二倍、ゴリラは一・七倍、オランウータンは二倍、ヒト（現生人類）は一・四倍の大きさです。オスメスの体格差が大きいオランウータン、ゴリラ、次いでチンパンジーでは、オスによるレイプまがいの行為もあるそうですが、体格差の少ないボノボでは、オスメスはほとんど平等だそうです。

チンパンジーの子殺し

さてチンパンジー、ボノボと同じくゴリラのメスも赤ん坊にお乳をやる間（三年間）は、発情しないのですが、例外があります。これは他の二種でも共通するのですが、お乳をやっていた子どもが死んだ時です。ゴリラのメスはわが子を失うと約二週間で発情が復活するのです。これと関連するのが、ゴリラとチンパンジーでは、オスが子殺しを行う事実です。

京都大学の杉山幸丸がこのことを発見したときは世界に衝撃を与えました。なぜそのようなことを行うのか。殺された子どもたちには共通点があって、よそから移ってきたメスの子どもたちなのです。オスは自分の血をひいていない子どもたちを選んで殺すのです。外からやってきたオスがリーダーのオスを追い出して新しいリーダーになった場合、特に子殺しをするケースが多いと山極寿一が言っているのも、その理由からでしょう。

恐ろしいのは、メスが自分の元へ移ってきて一年以上経ってから生まれた子どもは、殺されることがないというのです。これは自分の子だとわかっているからでしょう。つまりオスは交尾から出産までの日数をある程度理解して自分の子どもかどうか判断し、そうでない子どもを殺しているのです。子どもを殺されると、メスは発情期が復活し、我が子を殺したオスとの間で交尾を行い、彼の子どもを産むのです。これがオスが子殺しをする理由です。こうした現象はチンパンジーに関しても報告されています。ゴリラもチンパンジーもメスの発情期が短く、オスにとっては子どもを作るチャンスが少ないことが、こうした残酷な行動をとらせる一因にもなっているのでしょう。

ボノボの特色とヒト

一方、ボノボには子殺しは報告されていません。なぜでしょうか。ボノボのメスはチンパンジーと同じく授乳期の三、四年は排卵が止まり妊娠はしないのですが、しかし出産後一年も経つと発情だけは復活し、何人ものオスを誘って交尾まがいの性行動をさかんにするのです。これはいわば繁殖を目的としない性行動といえます。どうしてそのような行動をボノボのメスはするのか。日頃このような性行動をとっていると、出産したあと、オスたちの何人もが生まれた子は自分の子どもかもしれないと思い、その子のことを気にかけ、いざというときは守ってやったりすることになる。それがねらいではないかと山極らは推測しています。

そう考えていくと、ヒトの男女関係がどのように形成され、家族というものができたのか。とりわけどういう経緯で母だけでなく父も家族の一員となり、母親と共に子どもを育てるシステムができていったのか、考えさせるものがあります。ボノボのように個体どうしの関係をできるだけ平和的に維持しようとし、女性優位ともいえる男女関係をもつ種のありかたは、示唆的です。

ボノボを専門にする古市剛史は、自らの子孫を残していくため厳しい競争を勝ち抜いていかないといけないチンパンジー社会と、できるだけ対立を回避しようとする平和志向のボノボ社会とを比較し、ヒトの社会の原型はその中間的な特色をもつものだったのではないか、と推定しています。我々ヒトの祖先は、チンパンジー社会とボノボ社会のどちらに近い社会だったのか。この三者の特色は共通の祖先から分岐したのち、どのようにして備わっていったものなのか。チンパンジーやボノボが多夫多妻的な関係であるのに対し、ヒトは「ゆるやかな一夫一妻制」が本来の形ではないかと言われていますが、人類の本質を追究する上でもきわめて重要な問いです。

心の理論

チンパンジーやボノボと我々人類との心の違いはどこにあるのか。このことに関連して注目したいのは、発達心理学において「心の理論」という言葉で注目される能力です。これは一口に言って、他者の心の状態を推測したり理解したりする心の働きのことです（子安増生『心の理論』）。

部屋にサリーとアンがいます。サリーはビー玉とカゴを持っています。サリーはビー玉をカゴの中に入れ、散歩へ行くため、いったん部屋を出ました。その間にいたずらをしたのか、アンはサリーのカゴの中にあったビー玉を取り出し、自分の箱に入れてしまいました。しばらくしてサリーが部屋に戻ります。ビー玉で遊ぼうと思ったサリーは、まずどこを探しますか？

正解はもちろんカゴですが、三歳までのヒトの幼児は、アンの箱と答えてしまうのです。この年齢までの子どもには自分が見たものがすべてなのです。しかしこれが四歳になると、正解率が増え、五歳になるとほとんどすべての子どもが正解を言えるようになると言います。

この興味深い結果は、「他人が自分とは違う心（知識や信念や意図など）を持っていること

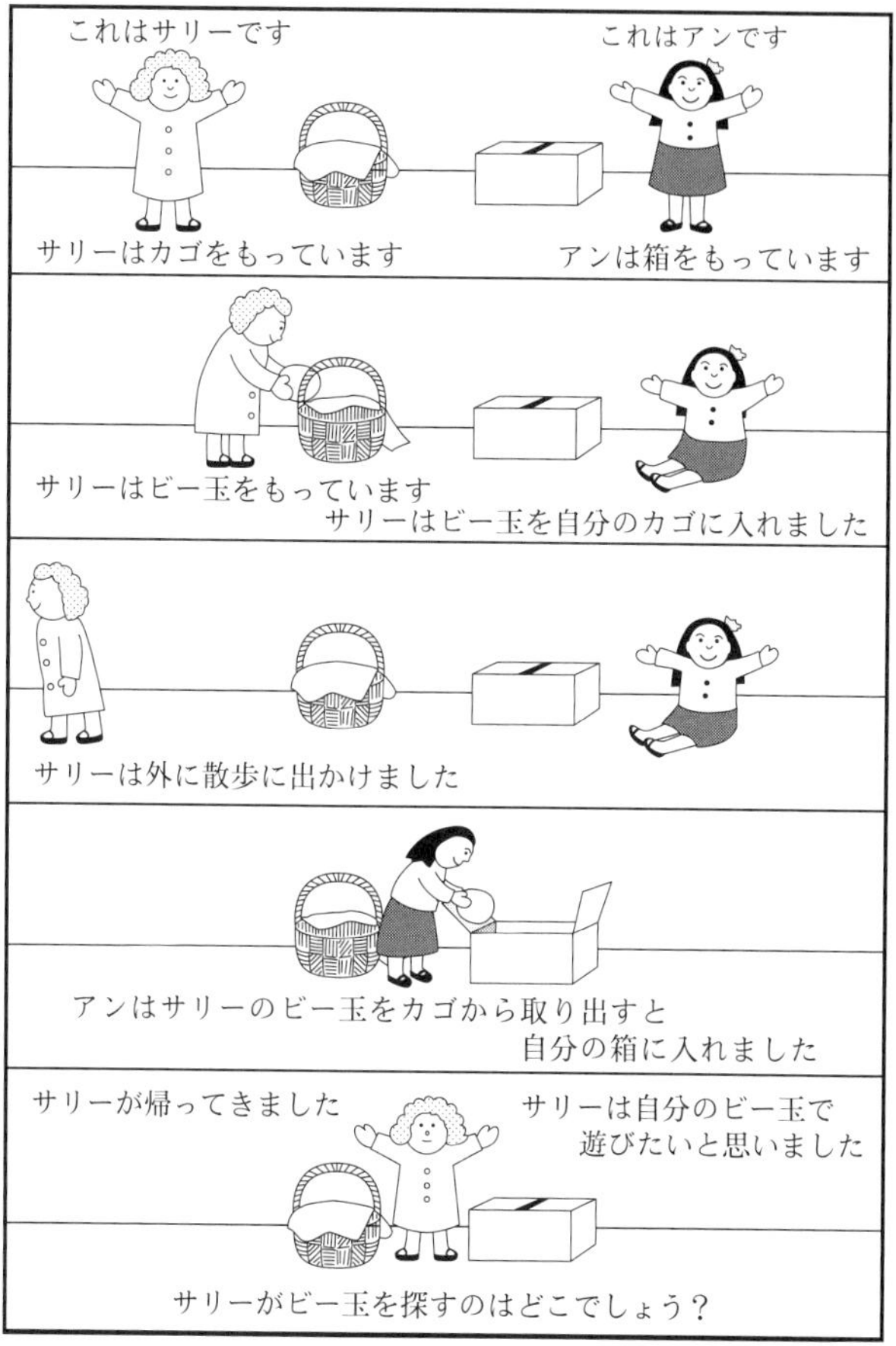
これはサリーです
これはアンです
サリーはカゴをもっています
アンは箱をもっています
サリーはビー玉をもっています
サリーはビー玉を自分のカゴに入れました
サリーは外に散歩に出かけました
アンはサリーのビー玉をカゴから取り出すと
自分の箱に入れました
サリーが帰ってきました
サリーは自分のビー玉で
遊びたいと思いました
サリーがビー玉を探すのはどこでしょう？

と」をどこまで理解できているかの指標になります。そもそも「心の理論」の問題は、チンパンジーへの実験から導き出されたのが最初でした。彼らに本当に心の理論が備わっているのかどうか、今も多くの霊長類研究者がさまざまなアイデアの実験に取り組んでいますが、近年の京都大学などで行われた実験によると、チンパンジーにも心の理論が存在する可能性の高いことが認められているようです（菊水健史『社会の起源　動物における群れの意味』）。

三項表象の理解

ただこれと関連して、「『心の理論』にいたるヒトの社会的認知の発達の中でも非常に重要な役割を果たす」ものとされている、もうひとつの能力――三項表象の理解――が指摘されています。それは「自分、他者、物、という三者が深く関わり合いながら社会的な相互交渉を進めていく」関係――具体的には、「自分が興味を持ったものをさしたり、母親の前に差し出したり、さらに手渡したりするようになる」こと――を指します。これがヒトでは生後九か月を過ぎると現われるようになるのです（友永雅己「霊長類における三項関係と心の創発」）。

水族館や動物園などに行くと、熱中した子どもが「お母さん、これ見て！　すごいよ、すごいよ！」と自分が今見ている魚や動物を指さして叫んでいる光景によく出くわします。自分が面白いと思ったものをお母さんにも見てもらいたい、一緒に見たいと思うのは当然の感情ですよね。

「お互いに見つめ合うだけでなく、それぞれにお互いの視線の先に注意を向けるようになる。そして視線の先にある事物を二者間の関係に取り込むようになる」、このような注意の共有を「共同注意」といいます。しかし比較認知科学が専門の友永雅己によると、こういうことをチンパンジーは求めないそうです。彼らの世界は、見つめ合いによって支えられた自己と他者の二項関係でしか生じることはなく、そこにたとえば、おもちゃのような第三の事物が介在すると、いったん夢中になったチンパンジーの子どもはそこに集中してしまって、もはや母親の方を振り返ることはしないのです（「霊長類における三項関係と心の創発」）。

三項関係、すなわち共同注意の発生が、言語発生の前提になるのだろうと、現在多くの研究者が考えています。この能力の象徴ともいえる人間の指差しは世界共通で、九か月から一歳半までに始まるそうです。しかしチンパンジーに指差しをしても、指先をしげしげと見つめるばかりだといいます。松沢哲郎によると「人差し指の先にある空間をたどってその先に目を向ける」というのは「極めて高度な知性」だというのです。

ただ不思議なことに最近の研究では、イヌには人の視線を追いかけ、人の指さした方向を理解する能力のあることが明らかになってきました。これは普段、イヌと暮らしている人には自明のことと言えるかもしれません。三～四万年の長きにわたり人と共生してきたイヌには、こうした能力が「共進化」してきた可能性が指摘されています（菊水健史『社会の起源』）。

「こんなことはチンパンジーはしない！」

発達心理学者の小林春美がこんなエピソードを紹介しています。ある霊長類学者が一歳の子どものいる友人家族とピクニックに行くため、ドライブをしたときのことです。子どもがきれいに沈みゆく夕日を指さして、こう言ったそうです。「おかあさん、あれ見て！夕日がきれい！」。これを聞いた霊長類学者はため息をついてこう言いました。「嗚呼、こんなことはチンパンジーはしない！」。チンパンジーは何かを誰かに見せるためにそれを指さすことはしないし、夕日をきれいだとは思わないらしいのです。

しかしチンパンジーの知的能力が、あらゆる面で人間より劣っているわけではありません。「直観像記憶」に関しては、彼らのほうがヒトより上回っていることが実験により明らかにされています。松沢哲郎の行った実験とはこうです。コンピュータ画面に1から9までの数字が同時にアトランダムに映ります。チンパンジーのアユムは、この数字を目にも止まらぬ、といった速さで1~9まで順に人差し指で突いていきます。まず1を押すと次に2を押し、次に3を探し……、となるのですが、押された数字は1から2、3とあっという間に画面上から消えていきます。それでもアユムは躊躇《ためら》うことなく、1、2、3……のあった場所を順に正確に指さしていくのです。とくに最初、目の前に提示された画面に映った九つの数字のうちからまず1を探し当て、押すまでの時間は〇・六秒です。松沢は言います。「この速さ、この正確さでできる人間に、私は今まで会ったことがない」。同様のテストを三人の大学生にやらせたところ、「どの大学生も勝てなかった」。九歳くらいの子どもでもやってみたが、「やはりできない」。

　松沢によると、「人間でわかっているのは、高機能自閉症とかアスペルガー症候群とよばれる子の中に、こういう課題が得意な子がいる」ということです。「こういう直観像記憶をもつ子どもが、だいたい数千人に一人いるといわれている」というのです。

進化の「トレードオフ」か？

松沢は、こうした「直観像記憶」が、なぜチンパンジーの子どもにはあって、人間にはないのかについて「トレードオフ仮説」を唱えています。こうした能力はもともと人間とチンパンジーの共通祖先には備わっていたのに、その後の進化の過程で、人間はこれを喪失したのではないか。これと引き換えに言語を獲得したのではないか、というのです。

トレードオフとは、あるものを獲得する代わりに、その結果として必要のなくなったものを失うことを言います。人間は、脳の容量が決まっているため、言語を獲得した代わりに、直観像記憶は必要がなくなり失った。直観像記憶には、チンパンジーにとっては、森の中で他の捕食動物やチンパンジーがどこにどれだけいるかを瞬時に見極められる、という適応的な利点があります。また食物となる果物の実を複数見つけたとき、その場にいる群れの序列のなかで、自分はどの実を採ればいいのか、の瞬時の判断にも役立つでしょう。ほかにも人間はトレードオフにより、敏捷な運動能力や嗅覚を失ったが、その代わりに、シンボルや表象、言語といったものを得たのだろう、と松沢は推測します。

厳しい自然環境の中で生き抜かねばならない野生動物には、瞬時に多様なものを見てその実態を捉え、判断する直観像記憶は適応上、備わっていたほうがいい能力です。一方人間は、家族で協力し合い、身を守る術《すべ》を学んだのだと思われます。父と母の協力による子育てが行われるようになったわけです。そこでは、言葉によるコミュニケーションが重要な位置を占めるようになりましたが、その反面、直観像記憶などは退化したのかもしれません。

言語のルーツは歌？

他の動物たちと人類を分かつ特徴として言語があるのは周知の事実でしょう。言語無しに人類の文化はありえないことも言うまでもありません。人はいつごろどのように言葉を獲得したのでしょうか。

言葉よりも前に、歌があったのではないか、という説があります（スティーヴン・ミズン『歌うネアンデルタール』）。元来、歌は一人や二人が歌うものではありません。歌には共同体の成員が心を合わせ、その結束を情動的に確認する効果があります。祭りや共同の農作業や土木作業といったときに歌われる歌。今も伝わるこうした歌には、♫エンヤァトット、エンヤァトット♪であるとか、♫ララララ〜♪であるとか、♫ヤーレン、ソーラン♪

など洋の東西を問わず、こういった合いの手のような意味の無い言葉が挟まれることが多いと気づきます。意味は無くとも、同じ作業を心を一つにして、同じリズムでやっていく上でこれは効果を持ちます。

考えてみれば、これらは遥か太古、まだ人々が意味のある言葉をもたない時代に発せられた、言葉以前の言葉にルーツがあるのかもしれません。歌で心を一つにしたあとで、人々はある物をこう呼ぶ、こういう名前で呼ぶ、というルールを作れるようになったのではないか。想像にすぎないのですが、そう思います。

話し始めたのは女か男か

かつて狩猟の際の協力関係を築く必要から、言語というコミュニケーションの道具が生まれたという仮説がありました。しかし今はもうほとんど過去の説となりました。

現代の世界中の子どもたちにも共通することですが、幼少期、なぜか男の子は無口で、女の子はよくしゃべります。その理由は今も解明されていないそうですが、これを太古まで遡って考えると、最初に言葉を話したのは女性なのかもしれません。進化心理学の権威であるロビン・ダンバーは、男性が自分自身の人間関係や経験を話すことが多いのに対して、女性は他人について話したがる傾向があるとし、この男女差からすると、「言葉は女同士のつながりを背景に発達したといえないだろうか」と述べています（『友達の数は何人？　ダンバー数とつながりの進化心理学』）。

狩猟において言語が発生したというより、男たちが狩りに出かけている間、木の実を剝《む》いたり、子どもの世話をしたりしている女たちの間でのコミュニケーションから、言葉が生まれた、と考える方が納得しやすいように思えるのですがどうでしょうか。

言語のルーツ、チョムスキー説

一方で、言葉はコミュニケーションの道具として生まれたのではない、という考え方もあります。その最大の論者が言語学者のノーム・チョムスキーです。チョムスキーは、普遍文法論（生成文法論）と言語生得説を唱えた、二十世紀最大の言語学者といわれる人です。三浦雅士の的確な要約（『孤独の発明』）を参考にまとめてみましょう。

チョムスキーは、幼児が母語を獲得する過程を見れば、それが後天的な能力によってなされているとはとても思えないと述べます。言葉の発生を促す外部からの刺激はあるにせよ、あくまでそれは引き金にすぎないもので、言語獲得の爆発的なスピードからすれば、人間には突然変異により先天的な言語能力（普遍文法）が備わっているというのです。これには有力な反論もありますが、二十一世紀に入ってチョムスキーは、新たに重要な発言をするようになりました。それは、言語の本質は「思考の道具」なのであって、「コミュニケーションというのは言語の非常に周辺的な側面」であり「言語の中枢的機能ではない」という主張です。

彼は言うのです。他の個体とのコミュニケーションのためだけならば、言語など発明する必要はない。「危険を知らせるためならば鳥の鳴き声で十分であり、仲間内の潤滑油としてならばサルの毛づくろいで十分であって、そういう意味では言語など余分なものにすぎない。言語は何かのきっかけで偶然に発生し、それがたまたまコミュニケーションに使われたにすぎない」。「言語使用のほとんどは実は心の中で起こっている」、「人はいつでも自分自身に語りかけている」というのです。言語は、それまでの動物には見られなかった「内的思考の次元をもたらした」ことによって、それまで人類が獲得してきた能力のなかでも画期的だったと考えたのでした。では一体、この「内的思考」、「心の中での自分自身への語りかけ」とは、どんなものか？　これらは大抵、「自分はだまされているんじゃないか」とか、「なぜこいつは自分にこんな仕打ちをするんだろう」といったたぐいの自問であると、チョムスキーは言うのです。

言語には、広くコミュニケーションのため、相手に何かを伝えるために口に出して発する言葉――外言――と、自分の中であれこれと考えるときの口には出さない言葉――内言――とがあることは既に知られています。チョムスキーは、このうち後者にこそ言語の本質があり、そこに人間的思考の起源があるというのです。但しこうした「内面的発話」は、「内省によって到達できるようなもの」ではなく、その解明は「ほとんど手つかずの状態」にあって、「人間の内面的思考の全容はいまなおまったく解明されていない」と彼は言います。

比喩を生み出す能力

言語の本質がチョムスキーが考えるように、内面的な対話にあり、それが無意識の広く深い領域にあるならば、言語とはいったいどのようなものなのでしょうか。ジュリアン・ジェインズは「言語の最も興味深い属性は、比喩を生み出す能力だ」と言いました（『神々の沈黙　意識の誕生と文明の興亡』）。また「言語は比喩によって発達する」とも言いました。彼も言うように、私たちは、「それは何ですか」と問われても、答えるのが難しかったり、未知な特殊なものだったりすると、既知の物にたとえ、「それは〜のようなものですね」と答えます。

さまざまな名詞の中にも、或るものの比喩を含んだ表現は無数にあります。比喩によって、万物に対する人間の理解は一挙に進んだであろうことは想像できます。「具体的な比喩は、私たちを取り巻く世界を知覚し、理解する力を著しく増強し、文字通り新たな事物を生み出す」のであり、「その昔、言葉とその指示物は、比喩の階段を具象から抽象の世界へと上っていった。比喩の基礎の上に抽象的な世界を創り上げてきたと言っても差し支えないほどだ」というのは正しいでしょう。ではどのようにして、我々の祖先は比喩の能力を得たのでしょうか。

考古学者のスティーヴン・ミズンは、それまでは一人の人間の中で別個に機能していた博物的知能・技術的知能・社会的知能といった神経機能のまとまりが相互に結びつき、応用されることによって人間の能力が飛躍的に向上したと考えました。この三種類の知能とは何かというと、博物的知能とは自分の周囲の植生や地理などの自然界を理解する能力で、これは日々の食料を得るのに必要になります。技術的知能とは石器や木器や骨格器を作り、改良し、使いこなす能力です。社会的知能とは同じ群れや共同体のメンバーの気持ちを推測しながら、うまくコミュニケーションをとっていく能力です。或る段階までこの三つの知能がそれぞれ独自に発達しバラバラに機能してきたものが、のちに相互に結びつき、その結果、新たな能力を生み出していったのだとミズンは考えました。その際に大きな役割を果たしたのが言語であったろうというのです（『心の先史時代』）。

ある未知のものを、別の物ではあるが共通性をもつよく似たものになぞらえ、それと同じようなものとして理解する。この言語のもつ比喩という機能が、それまでは博物的知能・技術的知能・社会的知能それぞれに分離していた初期人間の能力を統合し、さらに高みへ発展させていくことにつながったというのです。

始まりは自己との対話

言語の起源はコミュニケーションの道具だったのか、それとも自分に語りかける内なる対話にあったのか。二者択一できる問題ではないのでしょう。チョムスキーも言ったように他者とのコミュニケーションなら、他の動物もやっています。ただ人間同士のコミュニケーションというのは、第一に語と語との連結（主語と述語の連結）によって、新たな、かつ無数の意味が付与されるところに特色があります。「ママ、来たよ」、「マンマ、おいしい」といった二語文の誕生です。第二に、そこに相手への想像力（イマジネーション）が存在します。だから先述したように、人間の子どもはお母さんに指で夕日をさして、「あれ見て！」と教えようとするし、父親は食物を両手に持って妻や子の元へ帰るのです。

そこから他ならぬ自分自身との内的対話も始まるのでしょう。他人との間の心のこもったコミュニケーションは、自己への愛、自己自身との対話と連動不可欠のものとみられるからです。他人を我が事のように大切に思うからこそ、自己もまた客観的に分析できるのではないか。自己対話も可能になるのではないか。両者は実はつながっているのではないか、と私は思います。

第二章　神話・宗教・文明の誕生

宗教のルーツ・洞窟壁画から

他の動物と違う人類の特徴として、目には見えない神という存在を意識して崇拝したり、死後の人間の霊魂という観念をもち、それらを尊崇し、祀《まつ》るようになることがあります。そうした行為はいつごろから始まったのでしょうか。総じていえば、人が広い意味での宗教というものを生み出したのはいつごろからなのでしょうか。

ヨーロッパ各地で発見されている洞窟壁画の中にヒントとなりそうな絵がひとつあります。約二万年前に描かれたといわれるフランスのラスコー洞窟壁画のひとつ、「井戸の場面」と呼ばれている絵です。左側を向いた一頭の大きなバイソン（野牛）と、その前に斜めにのけぞったような一人の男。その脇には鳥の頭を付けた杖のようなものが立ち、バイソンの下腹には長い槍が貫通し、そこから内臓が露出してしまっているようにも見えます。

我々現代人には、この絵がどんな場面を描いているのか、よくわかりませんが、何か特別な場面を描いたものであることは疑いようもありません。このバイソンと対峙している男（一説には仮死状態にあるとも想像されています）は、シャーマン（呪師）ではないか、と見るのが一般的です。バイソンは神に捧げる犠牲として殺され、シャーマンはトランス状態になって他界を旅しているのだ、とも解釈されています。

ラスコー洞窟壁画「井戸の場面」

二十世紀を代表する宗教学者、ミルチア・エリアーデは、『世界宗教史1』で狩猟を通じたヒトと動物との関係について、以下のような意味を述べています。

> 獲物を絶えず探し回り、殺すことは、狩猟者と殺される動物との間に独自の関係の体系を作り出した。（中略）狩猟者とその獲物とのあいだの「神秘的連帯性」は、殺害行為そのものによって明らかにされ、そこで流される血は、あらゆる点で人間の血に等しい。

本来対決しているはずの狩猟者と獲物との間に、神秘的な連帯性が生まれるというのです。それは、食うものと食われるものとの間の一体性であり、食われる動物にある種の聖性が付与されるということでもあるのでしょう。

洞窟壁画のモチーフの大半は動物であり、その多くは獲物とされていたものたちです。山や川や木々や太陽や月といった周りの風景を描いたものなど皆無ですし、人間を描いたものすら微々たる数しかありません。贅沢な食べ物でもある肉ですが、だからこそ世界の多くの宗教では、このご馳走を神に捧げる供犠《くぎ》の儀式が行われています。神の前で聖なる動物を殺し、その血や肉を神に捧げる儀式です。

日本を代表する原始美術研究者の木村重信は、洞窟に描かれた動物たちに直接槍を突き刺したり矢を射たりすることによって、現実の動物たちが殺されるという呪術的効果を狙っていたのではないかとしました（『はじめにイメージありき』）。それだけではなく、殺され、食べられる動物たちは選ばれた聖なる動物であるとする観念が、おぼろげながらも見えてくるのではないでしょうか。

「二分心」の相剋説

前章でも触れましたが、一九七六年にアメリカで刊行されたジュリアン・ジェインズ著の『神々の沈黙　意識の誕生と文明の興亡』という大部な本があります。著者はもとは動物の心理研究を専門としていた人でしたが、次第に人間の意識の誕生に関心を移し、生涯に一冊のこの大著を遺しました。

それによると、元々人間には「二分心」と呼ばれる、右脳から左脳に囁く神の声のようなものがあったといいます。音楽を聴いたり、図形を見たりするのに活動する右脳と、言語を使って考えたり、分析したりするのに活動する左脳とがあるのは、現代ではよく聞く話です。ジェインズは、古来、ヒトは右脳に聴こえる神の声が左脳に命令し、左脳はこの右脳からの声にひたすら従って行動していたというのです。しかし文明が開けるにしたがって、神の声は次第に聞こえなくなってしまった。ヒトは次第に神の声に頼らず左脳を使って自分で考え、意識して行動するようになったというのです。ただ、現代人にもかつての名残りのようなものは残っていて、右脳は創造性や空間認知力、鮮やかなイメージなどを司るとも言われています。ジェインズによると、韻文で語られる詩、音楽、幻聴、催眠、統合失調症などの症状は、この二分心の名残りだというのです。

この壮大な説は、日本でも翻訳されるや話題となり、ヨーロッパ古代史家の本村凌二や劇作家・評論家の山崎正和に評価され、取り上げられています。

たしかにかつて聞こえた神の声が、いつからか人間には聞こえなくなりました。いや今でも聞こえる人はいるのでしょうが、それは文明の及んでいない、伝統的な社会に住む人々である場合がほとんどでしょう。

声の文化と文字の文化

声の文化と文字の文化の違いについて考察したW・J・オングも、ジュリアン・ジェインズの書に啓発されたことを告白しています（『声の文化と文字の文化』）。ただし彼は、この二分心とその消長は、声の文化から文字の文化への移行に対応するのではないかと考えます。

オングが明らかにしているように、文字の使用によって人の心は随分と変化しました。文字を知らぬ声だけの文化では、大事な考えを記憶に留めたり、思い出したりするには、「決まり文句や型にはまった言葉」や「リズミカルな繰り返し」に頼ったのでした。それは「累加的」「累積的」で、「冗長的ないし多弁的」「保守的ないし伝統主義的」「感情移入的」「参加的」なものでした。こうした「声の文化」の特徴は、対象と距離を置き、「客観的に分析する」文字の文化とは、根本的に異なるとオングは言います。そうなると次第に神の声も聞こえなくなってしまうのでしょう。

神話とは何か

ここまで人類の誕生、言語の発生、宗教の発生まで、ふりかえってきました。いずれも人間特有の「文化」です。そしてこれらと関係が深いのが神話です。『サピエンス全史』でユヴァル・ノア・ハラリが言うように、ヒトが「見たことも、触れたことも、匂いを嗅いだこともない、ありとあらゆる種類の存在について話す能力をもつこと」、すなわち「伝説や神話、神々、宗教」を信じる動物であることは、他の動物にはない特色です。これによって初めて、何万もの人口を擁する都市や国家が可能になるのであり、「膨大な数の見知らぬ人同士も、共通の神話を信じることによって首尾よく協力」できたのです。神話とは何なのでしょうか。

日本の比較神話研究の第一人者・大林太良は、神話とは「原古つまり世界の始めの時代における一回的な出来事を語った物語」で、その「内容を伝承者は真実であると信じている」「聖なる物語」であり、存在するものの「存在理由を基礎づけるもの」であり、それは「のちの人間が従い守るべき範型」であり、「人類の思考の無意識の構造が基礎にある」と言います。

神話と関係が深いものに儀礼があります。エリアーデも言っているように、神話も儀礼（祭祀）も共に「それを伝承する民族の世界像の表現」です。つまり神話において語られた原古の出来事を、行為において反復するのが儀礼であるともいえるでしょう。儀礼を行うことによって、「俗なる世界はいったん原古の創造の時代、神聖な根元的な時代に立ち戻り、更新されると信じられた」のでした。

こうした神話は、祭りや王の葬儀、即位式などハレの場で詠み上げられました。のちには文字にまとめ上げられ、粘土板や石碑、竹簡、木簡に記されたり、さらには紙の書物にまとめられたりするようになりました。

創世神話

神話の中でも特に神話らしいのは、世界の起源を語る創世神話です。世界各地にはさまざまなこの種の神話が語られていますが、分類すると、神による創造（神がこの世界を創りたもうたというもの）、原古の巨人の死体からの創造（死体化生）、宇宙卵からの孵化による誕生、両親の生殖による出産などの型があります。なかでも、もっとも有名な宇宙起源神話が『旧約聖書』に語られる天地創造でしょう。ここにその摘録を紹介しましょう

(関根正雄訳『旧約聖書　創世記』)。

初めに神が天と地を創造された。最初はまだ闇の世界だった。神が「光あれ！」と言われた。神は現われた光を見て、よしとして満足された。神は光と闇を分けられ、光を昼、闇を夜と名づけられた。そして夕べとなり、やがて夜が明けて朝となった。最初の一日が終わった。次の日、神は大空を海と分けられた。次の日、神は陸を作り、陸に草と花と実とを実らせた。次の日、神は星を作り、次の日、様々なる生きものを作り、「産めよ、増えよ」と言い、この中から家畜を分けさせた。次に神は泥で人を作り、その鼻に息を吹きかけて命を吹き込んだ。これがアダムで、人間の始まりである。

このありさまを描いたのが、ルネサンスの天才ミケランジェロの大作、ローマ、バチカンのシスティナ礼拝堂にある「天地創造」の天井画です。

ギルガメシュ神話

最古の文明を築いたメソポタミアのシュメール人の神話に、現存する世界最古の叙事詩といわれるギルガメシュ神話(今から約四千年前)があります。三分の一は人間、三分の二は神とされるギルガメシュは都市国家ウルクの王で勇猛果敢な英雄ですが、ある時から死の恐怖に襲われ、何とか死を免れる方法はないかと模索するようになります（矢島文夫訳『ギルガメシュ叙事詩』）。

ギルガメシュは、半獣の友人エンキドゥと共に森へ出かけ、協力して怪獣フンババを退治した。しかしギルガメシュは、親友のエンリケが女神イシュタルの求愛を断ったために恨みを買い、死んでしまったのを見て、自分もそうなるのではないかと死の恐怖にかられた。そして、永遠の命を手に入れたといわれるウトナピシュティムに会うため旅に出る。

ウトナピシュティムは、神々が人間を滅ぼそうとして大洪水を起こしたとき、方舟《はこぶね》を作ってわずかではあったが人間や動物を救い、生き物を助けた人物であった。彼はギルガメシュに七日間不眠の試練を課し、これが出来れば永遠の命を得られると言った。しかしギルガメシュは結局、眠さに負けて寝てしまった。ギルガメシュは、ウトナピシュティムに追放されるが、若返りの草の生えている場所を教えてもらった。しかし、それを食べる前に泉で入浴していたところ、この草を蛇に取られてしまう。そのため、蛇は脱皮を繰り返して若さを回復するようになったが、ギルガメシュは、永遠の命を得ることはできなかった。

人間離れした知力と体力を持つ英雄であっても、生命は永遠ではない。生命に限りのある存在であること、そしてそれを自覚する唯一の存在である人間への洞察がこの物語には込められています。厳密にはこれは神話というよりは伝説というべきでしょうか。

同じオリエントでも、ピラミッドやスフィンクスなど巨大なモニュメントで知られるエジプトには、シュメールとは異なる文明がありました。シュメールでは、王を自然の猛威をもたらす神に従属する者と位置付けていたのに対して、エジプトでは王は自然をもコントロールできる存在でした。王はファラオと呼ばれ、人間でありながら神でした。まさに現人神《あらひとがみ》でした。

『旧約聖書』の神話

『創世記』『出エジプト記』『ヨブ記』などユダヤ人の神話・伝承を収めた『旧約聖書』は、ユダヤ教・キリスト教・イスラム教の教典として広く読まれてきました。根を共通にするこれらの宗教は、いずれも強固な一神教の信仰を持っている点でも共通します。一神教においては神と人との間に契約が交わされ、神からの「あなたは私以外の何者も神としてはならない」という言葉を信者は守るよう求められます。アダムとイヴが神の言いつけを破って禁断の果実を食べたことが、すべての人間に負わされた原罪となります。神と人との関係は、まことに厳しい緊張したものでした。その後も神はなかなか疑り深く、人々の信仰を試し、無理難題を課します。

アブラハムという男の物語が『創世記』にあります。神は彼に厳しい試練を次々と課し、それでも信仰に揺るぎがないか、冷徹に確かめます。最後は息子イサクを羊の如く神の生け贄にすべく、殺せと命令するのです。何も知らない息子とともにアブラハムは指定された山を登り始めます。そしていよいよ息子に刃《やいば》を向けようとしたとき、やっと神は彼に真実を明かし、その揺るぎない信仰心を認めるのです。

『ヨブ記』

『ヨブ記』も同様です。七人の息子と三人の娘、羊を七千頭とラクダを三千頭、牛とロバを五百頭ずつ所有する裕福なヨブという男がいました。神は彼を試し、次々と試練を与えます。彼が外にいるとき、暴漢が家を襲い、彼の所有する羊と若い子どもたちが殺されました。次に天から神の火が降って家を焼き尽くされ、また突然大風が吹き荒れ、家は倒れ、家族も皆死んでしまいました。

ヨブはそれでもこう言います。

> 裸でわたしは母の胎《たい》を出た。裸でわたしは、そこへ帰ろう。神ヤーヴェが与え、そして取りあげたのだ。

それでもなお苦難は続きます。ついにヨブは神を恨みます。

> なぜあなたはわたしを母の胎から出されたのか。その時息絶えれば、誰もわたしを見なかったであろうに。わたしは生まれること無く、母の胎から墓へと運ばれたであろうに。

一神教の神はなぜそこまで人間に対し峻厳なのか。フランスのメソポタミア研究の泰斗ジャン・ボテロはこのように言います。「ヤーヴェは唯一で絶対的な神ですから、その超越性は絶対的でなければなりません。（中略）神は次元の違う世界にいるのです。人間とは全く切れた、届きようのない大きな断絶があるのです。人間は被創造物であり、神は創造主なのです」（『バビロンとバイブル　古代オリエントの歴史と宗教を語る』）。

『ヨブ記』の教えによれば、苦しみの問題の唯一の結論は、この神の超越性を思い起こすことなのです。ボテロの「神の為すことが人間に理解できなくても、いや理解できないからこそ、人間は神に全面的な信頼を寄せ、賞賛し、服従するのだ」、「私が理解できるような神など、私には必要ない」という言葉に、それが最も端的に表れています。この峻厳さは、キリスト教にも通ずる一神教独特のものと言えるでしょう。苦難と流浪の末にみずからを神に選ばれた民族と自覚したユダヤ人独特の考え方に他なりません。

神話はなぜ必要だったのか

神話は、人々にこの世界が如何にして生まれたのか、この世界の根源を語るとともに、我々人間がこの世界で如何に生きていくべきかを教えてくれるものでもありました（野田又夫『哲学の三つの伝統 他十二篇』）。

ヒトはなぜ生き、なぜ死ぬのか。死んだらどうなるのか。限られた命をどのように生きていけばいいのか。その答えは神話が用意してくれたのでした。のちにこの神話の役割を哲学が引き継いだのです。このように人生全般に大きな影響力を持っていたからこそ、神話はその後、文学はもとより絵画・彫刻・音楽など、あらゆる人間の芸術作品のイメージの源泉になっていったのでした。

農耕・牧畜の始まり

人類最初の農耕・牧畜が西アジアの肥沃な三日月地帯で始まったこと、また最初の都市国家も同じ地域で成立したことは、よく知られています。初めて文字が発明されたのも、世界最初の世界宗教ともいえるユダヤ教が生まれたのもこの地域でした。まさにここは最初の文明が生まれたところでした（青柳正規『人類文明の黎明と暮れ方』）。

人類最古の都市文明が生まれたのはチグリス川・ユーフラテス川流域のシュメール文明のエリドゥ、ウルク、ウルなどの都市であったと推定されています。今から約五千年前になります。ここでいう文明とは、狩猟採集生活から農耕牧畜生活への転換、貧富の差や身分階級のない社会から階級社会への転換、王から貴族、官僚、商工業者、奴隷に至るさまざまな身分階層の人々、特に非生産民が集住する都市の発生、無文字社会から文字社会への転換などを特徴とします。

チグリス川・ユーフラテス川がしばしば氾濫を起こしたため、大規模な灌漑《かんがい》工事が必要となり、これを指導するリーダーが宗教的なカリスマ性をも備え、人々の上に君臨する王となっていったのでしょう。収穫された農産物は神殿に保管され、国家により管理されました。これら莫大な備蓄を管理、記録していくうえで、文字はきわめて有効でした。人類初の文字「楔形文字」の発明です。この楔形文字がのちのアルファベットの源流にもつながっていくのです。

　文字によって私たちは今ここにいない人に対しても、何かを明確に伝えることができるようになりました。数千年前に書かれたハンムラビ法典も、先ほど読んだギルガメシュ神話もこの楔形文字で書かれたものです。

穀物栽培のルーツ

　なぜ西アジア地域に最初の農耕・牧畜が発生したのでしょうか。世界各地で狩猟採集生活から農耕牧畜生活に移行した時期に差があるのは、どうしてなのでしょうか。そこには自然環境が大きな影響を与えていることは言うまでもありません。世界的なベストセラーとなった『銃・病原菌・鉄』の中で、著者の進化生物学者、ジャレド・ダイアモンドは、主食となりうる穀物、家畜となりうる動物がその地域に生息しているかどうかによって、その答えは大きく左右されるといいます。たとえば主食になりうる植物の条件としてダイアモンドがあげるのはこの六つです。

一・大量に収穫できる作物であること

二．エネルギー（カロリー）を多く含むこと
三．食味が淡泊で食べ飽きないこと
四．調理加工が簡単なこと
五．保管・貯蔵が容易なこと
六．運搬など移動がしやすいこと

人間が食するものとしては他に果実や芋類、豆類などもありますが、右の条件に適うのは、やはり小麦類や米などの穀物でしょう。これらの穀類を多く産する西アジアや中国に古い文明が生まれたのも頷けます。

家畜の効能

ダイアモンドがもうひとつ注目したのは、その地域に適当な家畜になる動物がいたかどうかです。家畜とは何でしょう。定義してみると、人類が自分たちの役に立つように飼育しながら食物や交配をコントロールし、選抜的に繁殖させて野生の原種から作りだした動物のことです。

農耕牧畜生活を営む人間にとって家畜の効能とは、第一に肉や乳製品など食料を提供し

てくれること。第二に陸上での輸送・運搬手段として利用できること。第三に皮革類をさまざまに利用できること。第四に農耕動物として農作業や害虫・害獣駆除に貢献してくれること。第五に毛織物を提供してくれること。第六に軍事的な動力（エネルギー）として駆使できること。ダイアモンドが挙げるのはこれらです。こうして考えてみると、家畜が果たした役割の大きさに思い至ります。

　地球上には、鶏（原産地は中国。以下同じ）、アヒル・ガチョウ（ユーラシア大陸）、七面鳥（中米）、ほろほろ鳥（アフリカ）といった鳥類をはじめとして、オオカミ・犬（ユーラシア大陸・北米）、ウサギ（ヨーロッパ）、牛・馬・羊・山羊・豚・ラクダ・ロバ・アルパカ・トナカイといった大小の哺乳類がたくさんいます。これらの動物が生息している地域は恵まれていましたが、そうでない地域はどうしても農耕牧畜生活への転換がうまくいきませんでした。

　一方で地球上には家畜に向いていない動物が存在します。ダイアモンドが挙げているのは、たとえばあまりにも大量の餌が必要な動物（大型肉食獣）、あまりにも成長速度の遅い動物（ゴリラ、ゾウ）、飼育下での交配を避ける動物（チーター・ビクーニャ〈アンデスのラクダ〉）、あまりにも気性が荒く飼育が危険な動物（ヒグマ・アフリカ水牛・カバ・シマウマ）、集団でパニックになりやすい動物（鹿・レイヨウ）、序列性のある集団を形成せず、群を作らない単独行動の動物（猫）などです。このような動物がいくら周囲に生息していても、人間にはこれらを飼育し利用することはほとんど不可能です。

その点、ユーラシア大陸にはたまたま他の大陸より家畜化可能な大型の草食性哺乳類が、数多く生息していました。対照的に南北アメリカやオーストラリアでは、多くの哺乳類が人類によって食べ尽くされてしまいました。ダイアモンドは、地域によって社会の進歩に差が生じたのは、それぞれの民族の能力に差があったからではなく、こうした自然状況に左右されるところが大きかったことを力説しています。

文明・階級・国家の発生

農耕牧畜によって人々が定住を始め、年間を通じて労働に精を出すようになると、その結果もたらされた豊かな収穫を、他より多く我が物とする人々がでてきます。そこに階層や貧富の差が現われてきます。今でもアフリカなどで狩猟採集生活をしている人々がいて、彼らの中にも王として崇められている人がいますが、しかし彼らの住む家が他の人々より際だって豪邸というわけではないし、大きな墓が作られるわけでもないし、生活レベルにはほとんど差はありません。莫大な富が貯蔵・蓄積されるわけでもありません。同じ王でも農耕牧畜生活におけるそれと、狩猟採集生活におけるそれとでは全く違うのです。

例えば、文化人類学者の川田順造がフィールドワークしたアフリカ中部のモシ族の無文字・狩猟採集社会にも王はいましたが、貧富の差や階級の差といえるようなものはありませんでした（『無文字社会の歴史』）。むしろ首長はときに臣下の者に飲食を大盤振る舞いしたり、気前の良さを示す慣例があり、なかなか物入りだったようです。また、この地域では農耕（もろこし・いんげん・わずかの米・豆類）の生産性が低く、余剰生産が得にくいこと、牛馬が運搬のために使われていないこと、車輪が知られていないこともあって、「特定の大首長の富を飛躍的に増す結果をもたらさなかった」のでした。貧富の差、階級の差が生じるのは、やはり一度に大量の収穫がもたらされる穀物生産が可能になってからなのでしょう。

十九世紀後半、『家族・私有財産・国家の起源』でエンゲルスが構想した国家成立に至るプロセスは、こうです。牧畜・農耕・家内手工業の進歩による生産性の向上により、さらなる労働力が必要となり、その結果、他国との戦争によって得た大量の捕虜を奴隷とし、彼らの労働によって莫大な富が生み出された。この莫大な富が貴族たちに集積し、その結果必然的に貧富の差が増大し、階級が分化したところに国家が生まれたというものです。国家は、多くの富を得た「経済的に支配する階級」が「政治的にも支配する階級」となって、「被抑圧階級を制圧し、搾取するための新しい手段」であった、というのです。

国家の無い社会

しかし、狩猟採集社会から農耕牧畜社会への進展にしろ、またそこから階級社会が生まれ国家成立に至る進展にしても、その変化は決して必然の道筋ではなかったし、スムーズなものではなかったと、近年、イェール大学教授で政治学者・人類学者のジェームズ・C・スコットが述べています（『反穀物の人類史　国家誕生のディープヒストリー』）。国家の下での生活というものは、当時の人々にとって必ずしも魅力的なものではなかった。だからこそスコットは指摘します。「世界の大部分には、つい最近になるまで国家などまったくなかった」、「今から四百年前まで、地球の三分の一は狩猟採集民、移動耕作民、遊牧民、独立の園耕民で占められていたのに対して、国家は本質的に農耕民で構成されるので、その範囲は世界にわずかしかない耕作好適地にほぼ限られていた」。確かにその通りです。

まず「一般に農業は狩猟採集と比べてはるかに手間がかかる」ものであり、「第二の大きな、そして予期せざる負担は、密集から来る疫学的影響」です。定住による悪影響として「はしか、おたふく風邪、ジフテリアなど今ではおなじみの市中感染症は、初期国家で初めて現われたものだ」といいます。都市化が疫病の大流行をもたらすことについては、この数年、私たちはいやという程思い知らされました。

農耕の始まりから国家の始まりまで、あまり間がなかったように思われていますが、実際はそうではなく、四千年以上もタイムラグがあったといいます。チグリス川・ユーフラテス川の流域に「壁をめぐらせた国家が初めて生まれた」のが紀元前三一〇〇年頃。それは「作物栽培と定住が始まってから四千年以上もあとだった」のです。

いったん国家というものが成立すると、もうひとつの〝疫病〟が増えます。「穀物、労働、徴兵という形で徴収される、税という名の国家の疫病」です。民衆にとってみれば国家成立以前の暮らしより以後の暮らしの方が楽になり、生産性が向上したとは決して言えないのです。ダイアモンドは穀物が人間の暮らしに与えた好影響を強調しましたが、スコットは穀物がとりわけ人民支配に都合のいい食物であったことを指摘するのです。

いったん国家の民とされた人々も、その過酷さから逃れようとしたとスコットは言います。狩猟採集社会から農耕牧畜社会へ、国家以前の社会から国家へ、という流れを決して進歩や進化と捉えてはいけない。これらは長く共存していたのでした。またいったん国家を成立させた人々がその後、定住を捨てて遊牧へ戻り、鍬を捨てて森へ戻り、国家の存在しない巨大な辺縁世界に移ることもしばしばあったというのです。歴史の道筋は決して一本道ではないのです。

第三章　精神の革命——枢軸時代・哲学の発生

人類史の四段階

二十世紀を代表する哲学者といわれるカール・ヤスパースが『歴史の起原と目標』『哲学入門』という書物の中で、人類の歴史を大きく四段階に分けています。以下にその概要を引用します。

第一段階　ここでは言語の発生、道具の発明、火を燃やすことと火を使用することなどの最初の大きな進歩がありました。それは人間をして初めて人間たらしめたところのあらゆる歴史の基礎です。それがいつごろのことであったかは、まだ知られていません。とにかく遠い昔のことで記録も残されていないのです。

第二段階　紀元前五〇〇〇年から紀元前三〇〇〇年の間にエジプト、メソポタミア、インダス川流域、中国の黄河流域などに高度の古代文明が発生しました。これらは既に全地球上に分布していた人類の広い生活の中に浮かぶ、小さな光の島のようなものです。

第三段階　紀元前五〇〇年、あるいは紀元前八〇〇年から紀元前二〇〇年頃、人類を現在のようなものにした精神的基礎が築かれました。それは中国、インド、ペルシア、パレスチナ、ギリシアにおいて、時を同じくしてではあるが、それぞれ孤立して生まれたのです。

第四段階　十七〜十八世紀になって、世界史的な影響力をもつ新しい精神的・物質的な出来事がありました。それは科学的＝技術的時代です。その始まりは中世末期からヨーロッパにあり、十七世紀に精神的に組織され、十八世紀末以来広く発展し、この数十年急速な進歩を遂げています。

本書で言えば、第一段階、第二段階までは不十分ながらお話ししてきました。ヤスパースが特に重視するのが、次の第三段階です。これについてのヤスパースの言葉にもう少し耳を傾けてみましょう。

枢軸時代とは

ヤスパースは第三段階を枢軸時代とし、次のように解説します。

> 世界史の枢軸といったものがもしあるとするならば、それは西洋にとってもアジアにとっても、万人に納得されるものでなくてはなりません。それはすべての民族にとって、自己を歴史的に理解するための共通の枠のようなものになるでしょう。紀元前五〇〇年、あるいは紀元前八〇〇年から紀元前二〇〇年頃、この時代の精神的過程に世

界史の枢軸は存在するように思います。この時に私たちと共に今日まで生きているところの人間が現われたのです。

この時代には重大な事柄が一気に押し寄せてきました。中国には孔子と老子が現われ、そこからさらに墨子《ぼくし》、荘子《そうし》、列子《れっし》、孟子《もうし》その他の人々の思想が生まれました。インドではウパニシャッド、そして釈迦が現われ、あらゆる哲学的な可能性が展開されました。ギリシアではソクラテス、プラトン、アリストテレスなどの哲学者、詩人のホメロス、歴史家のヘロドトス、劇作家のソフォクレスなどが現われました。このわずか数百年の間に、これらの思想家と思想がほとんど同時に現われたのです。しかも彼らは互いに知り合ってはいなかったのでした。

この時代の新しいことは、人間がその存在自体を意識するようになったこと、さらには自己自身と自己の限界を意識するようになったことです。人間は世界の恐るべきことと、自分自身の無力さを知り、徹底的に疑い、深淵に沈んで解放と救済を強く求め望むようになりました。そこで意識的に自己の限界を捉えることによって、最高の目標を設定するようになりました。人間は自己存在の根底と超越者をはっきりと見ることにおいて、無制約なものを経験するようになったのです。

初めてこの時、哲学者が現われたのです。人々は個人として独立しようと志したのでした。彼らは、その信仰の内容も思想もずいぶん異なっていますが、皆、自分を内面的に世界全体と対立させることができました。彼らは自分の内部に、自分を超えて世界から超越する根源的なものを見出したのです。

哲学の始まり・精神の革命

ヤスパースが指摘したように、ギリシアにソクラテス、プラトン、アリストテレス、それにホメロス、ヘロドトス、ソフォクレス、インドに釈迦（ブッダ）、中国に孔子、荘子、老子らがほぼ同じ時期——紀元前五〇〇年頃——に現われ、その後の西洋、インド、中国の精神的な支柱となり、スタンダード（規範）になったのでした。これは人類の本格的な思索の始まりと言っていいでしょう。この歴史の不思議さについては、その後も中村元《はじめ》、野田又夫、近年でも伊東俊太郎、見田宗介《むねすけ》、広井良典といった人たちが注目しています。

この時期のギリシア、インド、中国の古代思想に何か共通するものはあるのでしょうか。ヤスパースは「自分を内面的に世界全体と対立させること」、「自分の内部に、自分を超えて世界から超越する根源的なものを見出したこと」と言っています。

インド仏教学者の中村元は、ブッダ、孔子、ソクラテスを「人類の思想史の転換点というか、新たな思想のページをくり広げた」人と評価し、「これらの人々は、当時までのいろいろの異端邪説を乗り越えて、真の人間としての道を明らかにしようとした人」として、「後代の人々が認めていた」と位置づけています（『思想をどうとらえるか　比較思想の道標』）。

　ソクラテスとブッダの共通点として中村が指摘するのは、それまでのギリシアとインドで盛んであった自然研究に関心がなかったこと、たとえばギリシアでは宇宙の元素として「地・水・火・風」といったものが議論されていたのでしたが、そうした雲をつかむようなことを議論するむなしさに気づいたソクラテスは、「よく生きるとはどういうことか」を論じました。ブッダも自然現象を考察しようという意欲はなかったと中村は言います。「あらゆる哲学体系を排斥し」、「無意味な議論には関わり合わないこと、そして関わりを持たないことそれ自体がひとつの返答になる」と弟子たちに教えました。中村は、

> 　本当になすべきことは、人間の思考能力をもって解決できないようなことを、ああだこうだと議論するのではなくて、まず人間がいかなるものか、その真相を見つめ、いかに生きるべきであるか、という正しく生きる道を見出すことなのである。そしてそ

のことがブッダの思想の出発点であったのである。

と述べています。

孔子の合理精神

こうしたある種の合理精神は、孔子にも通じるところがあります。

子曰く、由よ。なんじにこれを知ることを誨《おし》えんか。これを知るを知ると為し、知らざるを知らずというと為せ。これ、知るなり。

（先生は言われた。由よ、お前に知るとはどういうことか教えようか。知ったことを知ったことと為し、知らないことは知らないという。これを知るというのだ。）

孔子が死について問われ、「いまだ生を知らず、いずくんぞよく死を知らんや」と答えたというのは有名です。

ヤスパースは、この三つの地域の枢軸時代に共通する時代的性格として、いずれも多くの小国家（都市国家）群が相互に闘争しながらも繁栄を遂げていたこと、しかしその後、ギリシアでもインドでも中国でも多くの小国家群の争いの結果、無政府の混乱状況となり、この三思想の文化領域は「教説の固定化と水準化が生じた」といいます。その結果、中国・ヨーロッパ・インドに大帝国がほぼ同時に出来上がるというのです。中国の秦の始皇帝、インドのマウリア王朝、ヨーロッパのローマ帝国です。そのなかでギリシア思想、儒教思想、仏教が普及していくのでした。

現代の我々がソクラテスに、ブッダに、孔子に感銘を受けるのはどうしてでしょうか。彼らのどこに私たちは感動するのでしょう。

ソクラテスの「無知の知」

ソクラテスの言葉は現代の我々にも鋭く突きささります。

> 世にもすぐれた人よ、君は知力でも武力でも優れた評判の高い偉大な人でありながら、ただ金銭をできるだけ多く自分のものにしたいというようなことにだけ気を使っていて、恥ずかしくないのか。評判や地位の事は気にしても、思慮や真実には気をかけず、精神をできるだけ優れたものにするということにも気を遣わず、心配もしていないというのは。（中略）大切にしなければならないのは、ただ生きることではなくて、よく生きるということなのだ（プラトン『ソクラテスの弁明』）。

彼は、「不正を行い、悪事を曲げて善事と為し、他人にもこれを教授した」との罪で捕えられ、アテネの公開裁判にかけられました。そこで彼は多くの市民と陪審員に向かって自己の潔白を訴える演説を行ったのです。この演説を傍聴していた弟子のプラトンが記録したというのが『ソクラテスの弁明』です。

これによると、ソクラテスの友人のカイレフォンという人物が、デルフォイの神殿で「このギリシアにソクラテス以上の賢者はいるか」という問いを神に投げかけたところ、巫女（シャーマン）は「一人もいない」と答えたというのです。その神託を聞いた時、ソクラテスは自分が決して賢明な人間ではないことを自覚していたので、不審に思いました。この神託は一体何を意味し、何を暗示しているのだろうか。思い悩んだ彼は、神託の真偽を確かめるためにも、実際に世の中で賢者だと評判の人たちを訪ね歩き、彼らの話を聞くことにしたのです。

しかしこうした人たちと会って話して、ソクラテスはいささか失望したのでした。彼らは周囲の人々には賢者のごとく見え、また自分でも自分のことを賢者だと思っているようだが、実際はそうではない。なぜなら、彼らは善についても美についても本当は何も知っていないのに、知っていると信じているからです。一方ソクラテスだって美についても善についても何も知らないけれども、少なくともそのことをよく自覚している。つまり私は少なくとも自分が知らないことを知っているとは思わない。自分の無知を自覚している、この点において、自分はあの男たちより知恵の点で少しばかり優っている。このことを相手にわかってもらおうと説明したのですが、かえって彼らの支持者たちから恨まれてしまいました。

その結果、ソクラテスには多くの敵が出来、窮地に立たされてしまいました。それでもソクラテスは言うのです。神がこの神託で人間たちに伝えようとしたのは、真に賢明なのはただ神のみであり、人間の知恵などはわずかしかないということだ、神は「人間たちよ、汝らのうちで最大の賢者は、たとえばソクラテスの如く自分の智慧は何の価値も無いと悟った者である」ということが言いたいのであろう、と。

ソクラテスはなぜ死んだか

この熱情溢れる弁明もかなわず、アテネの陪審員たちはソクラテスに死刑の判決を下しました。クリトンをはじめとする友人たちは何とかして彼を助けようと、刑務所に賄賂を贈って脱獄の手はずを整え、生き延びるよう彼を説得しました。しかしソクラテスはこの逃亡を敢然と拒否します（プラトン『クリトン』）。

ソクラテスは友人たちの申し出を断り、執行人の差し出す毒杯を飲み干し、眠るように死んでいくのです。たとえ間違った判決であっても、この国の住民たちから選ばれた陪審員の下した判決には従わねばならない。これに従わないということは、この国の法を破ることであり、それは不正に不正を、危害に危害を加えることに他ならず、この国の秩序を崩壊させることだ、というのです。

現在ではこうした論理に賛意を示さない人もいるでしょう。横暴な政府には抵抗する権利がある、という意見もありうるでしょう。しかし現代において私たちが『ソクラテスの弁明』と『クリトン』を読んで感銘を受けるのは、ソクラテスが命を犠牲にしてでも自らの知と信念を曲げず、正しいと思う生き方を貫いたことに対してです。

洞窟の比喩

彼は自らを、人に嫌われながらも、その安逸な眠りを醒ます蜂に喩《たと》えました。またこんな喩え話もしています（プラトン『国家』）。洞窟の奥深くに火が焚かれ、この火に映し出された影絵のような映像——これを手足を縛り付けられ、ずっと見させられている人々がいる。彼らは生まれてこの方この映像しか見たことがなく、終生これのみを現実だと思い込まされている。人間とはそういうものだという寓話です。この中で珍しく縛られた縄をほどいて明るい洞窟の外まで逃げていった男が、今も映像を見ている人たちの所まで戻って、自分たちが見ていたのは真実ではない、この洞窟から出て行こう、と説得しても誰もまともにはとりあわないだろう、逆に狂人と思われて追い出され、殺されてしまうに違いないというのです。この洞窟からいったん出た男とはソクラテス自身のことに違いありません。彼は自分の行く末を見通していたということがわかります（小林秀雄『考えるヒント』）。

　ソクラテスが殺されてのちも、常識に抵抗して孤立を恐れず自らの信じる真実を主張し、妥協しなかった人たちの系譜は続きます。コペルニクス、ガリレオ、ダーウィン。政治的な孤立もありました、戦争反対や民族差別反対を主張した人々――キング牧師やモハメド・アリ――、また女性の人権や気候危機を訴える現代の若者――マララさん、グレタさん――がいます。その歴史の先頭に立つのがソクラテスであり、彼の輝かしい足跡がなければ、あとの人たちも続くことができたかは疑わしいでしょう。ソクラテスは筋を通す知識人の生き方を教えてくれたのです。

孔子の人間観

生前不遇だったという点は孔子も同じです。

『論語』

子曰く、学びて時にこれを習う。また説《よろこ》ばしからずや。朋《とも》有り、遠方より来たる。また楽しからずや。人知らずして慍《うら》みず。また君子ならずや。

（先生が言われた。学んでは適当な時期におさらいをする。いかにも心うれしいことだね。だれか友達が遠い所から訪ねてきてくれる。いかにも楽しいことだね。人が分かってくれなくても気にかけない。いかにも君子だね。）

孔子は多くの弟子を伴って諸国をめぐり、自分を宰相として採用してくれる諸侯を求め歩きました。しかし周王朝が衰え諸侯が群立する乱世にあって、策を弄せず道義による政治を唱える孔子の教えはなかなか世に受け容れられませんでした。終生不遇であった孔子ですが、それでも学びを通じての喜びはありました。

学びつつ時にこれを習う――書物を通じて、また師の講義によって得た知識を現実の世に於いて実修する――ことのうれしさ、充実感。古い友――単なる友ではなく共に学んだ間柄の友人――が遠方から会いに来てくれる楽しさ、懐かしさ。そうした喜びを知っていれば、たとえ世に容れられずとも、それを恨んだり悔しがったりしない。人が自分のことを知らなくても気にかけない。こうした人こそ君子といえる尊敬に値する人だね、と孔子は言っています。

そうした心持ちは次の言葉により明瞭に現われています。

子曰く、人の己《おのれ》を知らざるを患《うれ》えず、人を知らざるを患う。

（先生が言われた。人が自分を知ってくれないことを気にかけないで、自分が人を知らないことを気にかけるべきだ。）

孔子の政治哲学は、徳による政治でした。

子曰く、これを道びくに政を以ってし、これを斉《ととの》うるに刑を以ってすれば、民免れて恥ずることなし。これを道びくに徳を以ってし、これを斉うるに礼をもってすれば、恥有りてかつ格《ただ》し。

（先生が言われた。規則や法律などの政治で導き、刑罰で統制していくならば、人民は法の網をすりぬけて恥ずかしいとも思わないが、道徳で導き礼で統制していくなら、民は恥ずかしいという気持ちをもち、かつ正しくなる。）

老荘思想

孔子と並んで現われた老子・荘子による思想が老荘思想です。これは反孔子・反儒教的な教えで、天下の乱れを道徳の再建によって救い、秩序を取り戻そうとする儒教に対し、

大道《たいどう》廃《すた》れて仁義あり。知恵出でて大偽あり。六親和せずして孝慈あり。国家昏乱《こんらん》して忠臣あり。

と唱えて、こうした忠義や孝行といった道徳は、それらが廃れた乱世ゆえに重視されているに過ぎないと喝破したのでした。老荘思想は、人間の浅はかな知恵による計らいを捨て、なすがまま、あるがままに任せることを説きました。

そこには、言葉で言い表せるものには限界があるという、ある意味神秘主義的なところがありました。

知る者は言わず。言う者は知らず。

（知っている者はしゃべらない。しゃべっている者は知らない。）

という『老子』の言葉はその表れでしょう。

周が衰え、多くの諸侯が競っていた春秋時代から戦国時代、中国では孔子、老子、荘子を始め、韓非子などの法家思想、墨子の平和思想など、諸子百家と言われるたくさんの多

様な思想家が出現しましたが、中国統一を初めて実現した秦の始皇帝は法家の思想を採用し、次に現われた漢の高祖・劉邦は国の統治に儒教を採用しました。秦は統一から十余年で滅びましたが、漢は前漢・後漢併せて数百年にわたり中国を統治し、日本を含むその周辺にも影響を及ぼしました。そのイデオロギーとなったのが儒教でした。

釈迦の教え

釈迦（釈尊、仏陀、ゴータマ・シッダルタ）は、現在のネパールにあったシャカ族の王子として生まれました。しかし二十九歳のとき、生老病死という四つの苦に悩み、妻や子、王子の地位を捨て、出家します。

四苦とは、生苦（生まれる苦しみ）、老苦（老いの苦しみ）、病苦（病の苦しみ）、死苦（死の苦しみ）です。これに加えてさらに四つの苦があります。それは、「愛別離苦《あいべつりく》」すなわち愛する人と別れなければならない苦しみ（これには生別、死別があります。いずれも時代を越えて人間の悲しさの原因となっています）、逆に憎い人と会わなければならない苦しみが「怨憎会苦《おんぞうえく》」です。求めた物が得られない苦しみ、これを「求不得苦《ぐふとく》」といいます。これらが寄り集まって生じる人間の生存への執着による苦を、「五蘊盛苦《ごうんじょうく》」といいます。

これらを総称して四苦八苦というのです。いずれも人間の根源的な苦ですね。これをいかにして克服すべきか、若き釈迦は修行によりその道を追究したのです。

　六年間、釈迦は苦行と瞑想にふけったが、悟ることができなかったといいます。しかし三十五歳のときやっと悟りを開きました。以後、最初の寺院である祇園精舎で教えを説くようになります。そして八十歳を超えて亡くなるのです。

縁起と空

　このとき釈迦が得た悟りを成道《じょうどう》といいますが、果たして何を悟ったのか。古い仏典はその内容を「縁起」であると言っています。縁起とは「縁《よ》りて起こる」。

　　これが在るとき、かれが在る。これが無ければ、かれは無い。

すなわち、この世にひとつとしてそれのみで存在しているものはない。あらゆるものが他に依存し、他との関わりによって相対的なものとして存在しているのだ、という意味です。

　当時のインドの思想界では、世界原理としての「梵（ブラフマン）」——あらゆるものの原理であり、神も人も従うべき絶対的原理——というものが信じられ、またこれに次いで「我（アートマン）」――あらゆる認識や行為の主体である、絶対の主体・絶対の自我――が信じられていました。「縁起」を説く仏教は、これらの存在を否定したのです。常住なるもの、唯一なるもの、かつ他を支配するものなど存在しないというのです。それは当時の人々には「驚天動地のこと、伝統への恐るべき反逆として受けとられたであろう」といわれています（長尾雅人「大乗仏教における存在論」）。

仏教の言葉として有名な「無常」も、これと同じことを別の面から言い表したものです。常なるものはない、作られたものは必ず滅びるのですから、すべては無我であり、永久的な実体などない、という意味に他なりません。これらもすべて縁起から来る考え方です。

仏教がキリスト教やユダヤ教などと異なるのは、宇宙を創造した神のようなものを想定していない点にあります。また釈迦はあくまで人間であり、神ではありません。ただ彼は「悟りを開いた人」として尊敬されているのです。ですから、彼のあとにも仏陀（＝悟りを開く人）は現われるでしょうし、彼の前にもいたであろうと考えられるのです。この点で、チベット仏教学者の長尾雅人《がじん》らも指摘している通り、仏教は無神論的だということもできます。

大乗仏教の成立

釈迦の入滅後、次第に仏教は変容を遂げていきました。釈迦が神格化されるとともに、釈迦のイメージを膨らませた結果、新たな仏が構想されるようになりました。盧《る》舎那《しゃな》仏《ぶつ》や観世音菩薩、阿弥陀如来、弥勒菩薩などです。

釈迦の教えを文字にまとめたとされるお経も、最も原初的なものとされる「阿含経《あごんきょう》」から、かなりのちになって書かれたようなもの――「般若経」「法華経」「大無量寿経」など――まで現われました。禁欲的な修行生活をひたすら守る僧侶中心の伝統的な仏教から、在家信者も主体的に関わる大乗仏教の在り方が新しく形成されていったのでした。前者（部派仏教）が主に東南アジアで盛んなのに対し、大乗仏教はインドからシルクロードを経由して中国、朝鮮、そして日本へ伝来しました。その教えにも微妙に変化がありましたが、この大乗仏教の思想の形成に大きな役割を果たしたのが龍樹《りゅうじゅ》（ナーガールジュナ）というインドの僧侶でした。

西洋文明の源流＝ギリシア文明

もう一度ギリシアに戻りましょう。地中海に西洋文化の源流を生み出したその文明は、哲学だけでなく、あらゆる部面においてのちの西洋文明の源流となりました。ギリシアの民主政治が、奴隷制の上に成り立つもので、現在のものとはずいぶん異なるものであるにしても、現代の民主政治の源流であることは間違いない事実です。アテネのアクロポリスの神殿建築やルーブル美術館の「ミロのヴィーナス」などに代表されるギリシアの美術や建築の美。ホメロスの『イーリアス』『オデュッセイア』に代表されるギリシア神話は、のちに西洋文学の古典とされ、西洋美術に限りないイメージを提供しました。

特筆すべきはギリシア悲劇です。ギリシアでは定期的に演劇コンクールが開かれ、市民の投票によって優れた作品が選ばれ表彰されました。こうした中でアイスキュロスやソフォクレス、エウリピデスといった悲劇作家、また喜劇でもアリストファネースなどの作品が現われ、今日まで伝えられ上演されています。今から二千数百年も前に書かれた戯曲が残され、今も世界各地で上演されている――考えてみれば奇蹟のようなことではないですか。

中でもギリシア悲劇史上最高傑作といわれているのが、ソフォクレスの『オイディプス王』です。世界最古の推理劇ともいわれるこの演劇の詳しい結末をお話しするのは厳に慎まなければなりません。すべての人が不幸を避けようと思ってしたことが、逆に人々を不幸に陥れる——そんな救いようのない悲劇が展開していきます。テーマは神と人間、運命と人間の相剋にあるのでしょう。その先に破滅が待っている予感を抱きながらも、自分とは何者なのかを追究せずにはいられない人間の業のようなものが描かれています。

オイディプス「このわしにとっても、聞くも恐ろしいこと。それでもわしは聞かねばならぬ！」（ソフォクレス『オイディプス王』）

日本でも仲代達矢、平幹二朗、市川染五郎（現・白鸚）、野村萬斎などが演じています。

アレクサンドロス大王の帝国

ギリシアでは、都市国家・ポリスの中でも最大の規模と力をもつアテネとスパルタが、その盟主の座をめぐり雌雄を決すべく戦ったペロポネソス戦争ののち、次第にギリシア全体が疲弊していきました。彼らに代わって台頭したのが、若き英雄アレクサンドロス大王の帝国でした。アレクサンドロス大王はギリシアを制圧し、ペルシア、エジプト、更にはインドまで征服を目指して遠征しますが、その途中で亡くなりました。三十二歳でした。

若き王は夭折しましたが、その東征によって、ギリシアなど西方の文化とペルシアなど東方の文化が融合し、新たなヘレニズム文化を生み出しました。この一大文化接触で、それまで釈迦（ブッダ）の像を描いた絵や彫刻が造られたことはなかったのが、ギリシアの文化との出会いによって、初めて仏像というものが造られるようになったのでした。

ローマ帝国の時代

その後、地中海世界に覇を唱えたのが、ローマでした。紀元前六世紀〜紀元四世紀まで、地中海沿岸に大帝国を築いた、あのローマ帝国です。初めは王のいない共和政だったのがカエサル（シーザー）、オクタヴィアヌスの執政を経て帝政に転じ、歴代皇帝のもとで長年にわたり絶大な力を維持して平和を保ちました（パクス・ロマーナ＝ローマの平和）。首都ローマの中心地がフォロ・ロマーノで、ここには今も二千年ほど前のレンガの破片などが至る所に落ちています。そのすぐそばにはコロシアム（円形闘技場）や凱旋門などもあり、世界中から観光客が押し寄せてひしめいています。ローマの文化は全体にはギリシア文化を継承したものでしたが、これらの大型建築や水道橋など建築に才を現わしました。

ローマの文明は、地中海世界の古代という時代の頂点であり、それまでの地中海世界・オリエント・ヨーロッパ文化といった古代諸文明の集大成と言ってもよいものです。「すべての古代史は、いわば一つの湖に注ぎ込む流れになってローマ史のなかに導かれ、また近世史の全体は、ローマ史の中から再び流れ出している」という十九世紀ドイツの大歴史家レオポルド・フォン・ランケの言葉はこれを的確に述べたものです。

キリスト教の誕生

このローマ帝国の時代にイェルサレムで人々に教えを説き、国によって迫害を受け、殺されたのが、イエス＝キリストでした。彼の教えは長らくローマ帝国から迫害されてきましたが、あまりに多くの信者がいたために、三一三年に公認され、三九二年には国教となりました。これがキリスト教です。

『新約聖書』は、イエス＝キリストの言行録です。彼の母はマリア、その婚約者にヨセフという名の大工がいました。おおよそ紀元四年ころの生まれと言われています。この時のエピソードが処女懐胎です。大工ヨセフと婚約したマリアは、処女でありながら妊娠し、イエスを出産するのですが、あらかじめマリアのもとに天使ガブリエルが訪れ、神の子を懐胎することを告げたというのです（受胎告知）。イエスは「神のひとり子であり、神の厳かな意志によって、天上界より地上界に遣わされた救い主」（山形孝夫『聖書物語』）だというのです。

その後の人類の歴史に圧倒的な影響をもたらしたイエスですが、彼が公に活動し、人々に教えを説いたのは、わずか約三年間のことでした。彼は当時力をもっていた律法（ユダヤ教の細かな儀式や掟）を否定し、他者への無限の愛、報いを求めぬ善行を説きました。

「私は、正しい人を招くためではなく、病人と罪人を招くために来た。」

「私は汝たちに言う。汝の隣人を愛せ。汝を憎む者たちに善いことをしなさい。」

「汝を呪う者たちを祝福しなさい。汝を侮辱する者たちのために祈りなさい。汝の頬を打つ者には別の頬を出しなさい。」（『新約聖書』）

なぜ自分を憎む者を愛さなくてはいけないのでしょうか。このあとに彼は言います。

「愛とは自分の好きな人に親切にすることではない」「自分によくしてくれる人に善いことをしたところで、どんな恵みがあろうか」「返してもらうことを当てにして貸したところで、どんな恵みがあろうか」「そんなことは罪人でもやっていることだ」「そうではなく、汝の敵を愛しなさい。人に善いことをし、何も当てにせずに貸しなさい。そうすればたくさんの報いがあり、いと高き方の子となる」。愛するとは、他者に仕えるために自分自身を捨てることであり、すべてを他者に捧げて自分のためには力を振るわないことであるというのです（岩田靖夫『ヨーロッパ思想入門』）。

そしてこうも言いました。

「貧しい者たちは幸せである。なぜなら、神の国は汝たちのものだからだ。」

「金持ちが神の国に入るよりも、ラクダが針の穴を通るほうがやさしい。」

彼は貧しい人たちの味方でした。しかし彼の活動は、無残にも終止符を打たれます。イエスは十二人の弟子たちと共に食事をとりました。そのとき彼はこう言いました。「あなた方の中の一人が私を裏切ろうとしています」。弟子たちはその言葉に激しく動揺します。皆が言いました。「主よ、私ではないでしょうね」。イエスは言いました。「十二人の中で私と一緒に同じ鉢にパンを浸している者がそれです」。それはユダでした。ユダは一人、階段を駆け下り、逃げて行きました。翌日、ユダの裏切りによりイエスは逮捕されました。そしてその後、十字架にはりつけにされ、処刑されたのです。

人間の原罪

『旧約聖書』によれば、最初の人間であるアダムとイヴは神の命令を破り、禁断の木の実を食べた罪で楽園を追放されました。聖書ではすべての人間はアダムとイヴの子孫ですから、この罪を今に至るまですべての人間が背負っているわけです。そしてこの原罪の贖罪《しょくざい》

（罪をあがなう）のために、イエスは十字架にはりつけにされたというのです。

キリスト教は世界の終末、いわゆる最後の審判についても予言しています。世界の終わりの日に再びキリストがこの世に現われて死者を甦らせ裁きを行い、永遠の生命を与えられる者と、地獄に堕ちる者とに分けるのだ、というのです。キリストの再臨です。ミケランジェロがバチカンのシスティナ礼拝堂に描いた大壁画でも有名です。

当初は、ローマ帝国から厳しい弾圧を受けていたキリスト教ですが、公認後は、この大帝国の領土へその教えは広まっていきました。しかし、ローマ帝国は終焉《しゅうえん》への道を歩み出します。

第四章　人類史の構造をとらえる試み

ヨーロッパ中世の始まり

ここまで、人類の誕生から始まって、オリエント、地中海、さらにヨーロッパ世界を中心に見てきました。時代は古代から中世へと移り変わっていきます。

ローマ帝国は、三九五年に東西に分裂し、四七六年に西ローマ帝国は滅亡しました。西ローマ帝国の滅亡は、直接的にはゲルマン人の大移動によるものでした。もともと中央ユーラシアの西で半農半牧の生活をしていたゲルマン人が、遊牧民フン族の圧迫により押し出され、西ローマ帝国の域内に大挙移動したのでした。この民族大移動の原因を作ったフン族については、その中核が匈奴《きょうど》であったことがほぼ認められています（森安孝夫『シルクロード世界史』）。秦の始皇帝や漢の武帝を恐れさせた、あの遊牧民・匈奴です。

西ローマ帝国の滅亡後、ヨーロッパの担い手は、ギリシアやローマなど地中海沿岸の人々から、彼らゲルマン民族に交代しました。これによりヨーロッパの古代は終わり、中世という新しい時代が始まりました。ローマ帝国滅亡後の四、五世紀から十二、三世紀という長い間、ヨーロッパは、のちにビザンチン帝国とよばれる東ローマ帝国の治める東欧世界と、かつて西ローマ帝国が治めた西欧世界とに分裂していきます。

このうち西ヨーロッパ世界に再び安定をもたらしたのは、西暦八〇〇年に西ヨーロッパを統一したフランク王国のカール大帝です。彼は、名目上ではありますが、ローマ帝国の皇帝に就任しました（カール戴冠）。滅んだとはいえ、この帝国の栄光はのちのちまで輝かしいものでした。蛮族といわれたゲルマン人らしく、カール大帝は文字を読むことは出来るものの、書くことは出来なかったそうですが、彼はキリスト教に改宗しました。西ヨーロッパを政治的に統一したゲルマン人である彼がローマ皇帝の冠をかぶり、キリスト教（特にカトリック）に改宗したという事実が、ヨーロッパ世界の成立を象徴しています。

カール大帝の死後、フランク王国の領土はイタリア・ドイツ・フランスの原型となる三つの国に分裂します。その西には現在のスペインに建国された西ゴート王国、海を隔ててイギリスのアングロサクソンの王国があります。農業を基礎に騎士や諸侯との主従関係をもとにした封建制と、カトリック教会の精神支配によってヨーロッパ中世は成り立っていました。

ゲルマン人とキリスト教の出会い

新しく中世ヨーロッパの主役となったゲルマン人は、伝統的なゲルマンの神話や神を奉じてきた、もともとはキリスト教とは無縁の人々でしたが、次第にキリスト教に触れるようになっていきました。しかし彼らがギリシアやローマの文化に接触することは、ほとんどありませんでした。

ヨーロッパで絶えたギリシア・ローマの古典や古代の文化を守り伝えたのは、東のビザンチン帝国でした。中央アジア史研究で知られる松田壽男は、当時の西欧世界は「西アジアや中央アジアのオアシス世界と地中海世界とを併せて握っていたイスラームのために包みこまれ、抑えられて、その足許にも寄れないほどの文化に低迷する時代であった」と述べています。

梅棹忠夫の「文明の生態史観」

この時代、世界史的視野から最も繁栄していたのはイスラム世界であり、さらにその東にある東アジア世界でした。西欧世界を常に世界の先頭を走ってきた存在と見るのは明らかに間違いです。奴隷制社会、封建制社会、資本主義社会へと社会の発展段階を跡付けたマルクスの理論も、やはり西欧を中心としたモデルであることに変わりはありません。世界を一本の道筋でなく、面的な広がりの中で見る史観が求められるのです。その先駆的な研究が、梅棹忠夫《うめさおただお》による「文明の生態史観」です。梅棹は京都大学教授、のちに国立民族学博物館の初代館長を務めた民族学者です。すでに発表されて六十年を越えますが、今も斬新な視点を提供しています。

次の頁の図は、ユーラシア大陸の真ん中を斜めに縦断する乾燥地帯を挟んでその両脇に位置する地域を第二地域、さらにその外側、この大陸のいわば両端を第一地域と名付けます。大陸の真ん中の乾燥地帯には、匈奴やモンゴル、ツングース、イスラム等の戦闘を得意とする破壊的な遊牧民が住み、しばしばその外側すなわち第二地域に攻め込みました。

この遊牧民の攻撃に常にさらされてきた第二地域は、乾燥地帯の東側、西側に分かれますが、これをそれぞれ南北に分けると、都合四つの地帯に分かれます。東側のアジアでの北部（Ⅰ）が中国、南部（Ⅱ）がインド、西側のヨーロッパの北部（Ⅲ）がロシア、南部（Ⅳ）がトルコ（イスラム世界）になります。これら第二地域は、生態学的には、みな大陸を東北から西南に斜めに縦断する巨大な乾燥地帯の真っ只中か、あるいはその縁辺に沿うサバンナを本拠としています。

この乾燥地帯には激しい破壊力をもち、くりかえし「文明の世界を嵐のようにふきぬけていった」遊牧民たちが存在しました。梅棹は「乾燥地区のまんなかからあらわれてくる人間の集団はどうしてあれほど激しい破壊力をしめすことができるのだろうか」と問うのですが、歴史をひもとくと、たしかに彼らは周囲の文明をくりかえし馬を用いて襲い征服しました。第二地域の人々にとって「いつ襲い掛かってくるかもしれない新しい暴力に対していつも身がまえていなければならない」というまさに脅威でした。そのため第二地域では「一時は立派な社会をつくることができても、その内部矛盾がたまって新しい革命的展開に至るまで成熟することができない」というのです。「もともと古代文明はすべてこの地域に発生しながら、封建制を発展させることなく、その後に巨大な専制帝国を作り、その矛盾に悩み、多くは第一地域の植民地ないしは半植民地となり、最近に至ってようやく数段階の革命を経ながら、新しい近代化の道をたどろうとしている地域である」。中国、ロシア、インド、トルコと今もなお独裁政権が多いのも特徴といえます。

　その外側にある第一地域とは、日本、東南アジア、東ヨーロッパ、西ヨーロッパです。第一地域――特に西ヨーロッパと日本――は現在、生活様式が高度の近代文明を形成している点で共通します。しかし歴史を遡ると古代には決して先進地域だったわけではありませんでした。もともと西ヨーロッパはローマ帝国の辺境の植民地であり、東南アジアや日本は中国の周辺民族に過ぎませんでした。それが中世から近世を経て、第二地域にあったかつての宗主国を超える文明国に成長したのです。「歴史の型からいえば、塞外野蛮の民梅棹忠夫「文明の生態史観」

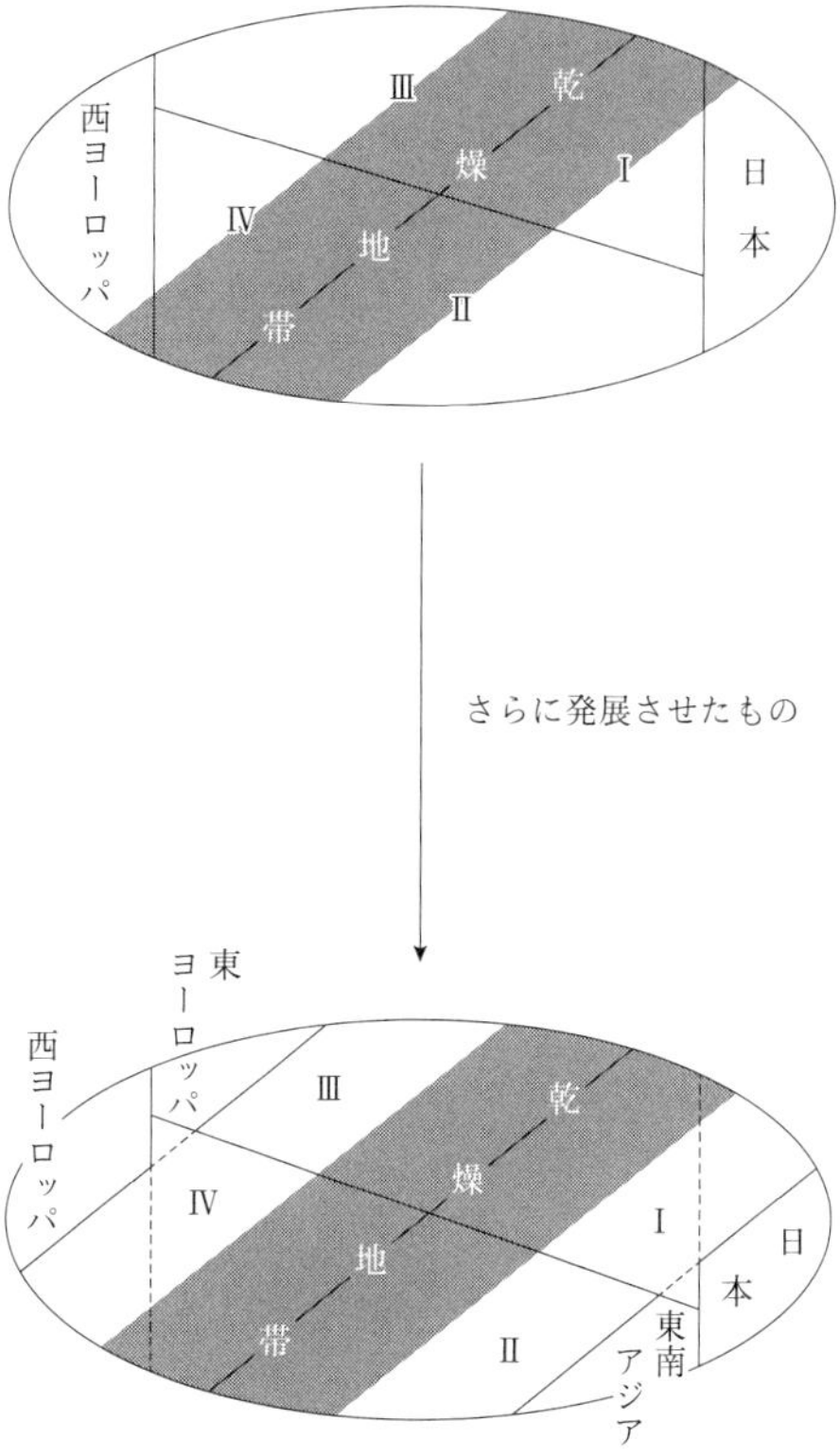

Ⅰ…中国
Ⅱ…インド
Ⅲ…ロシア
Ⅳ…トルコ（イスラム世界）

としてスタートし、第二地域からの文明を導入し、のちに封建制、絶対主義、ブルジョア革命を経て、現代は資本主義による高度の近代文明を持つ地域である」。

西ヨーロッパと日本――歴史の平行現象

東西に長い大陸の両端に位置するこの二つの地域（西ヨーロッパと日本）は、地理的には遠く隔たっていますが、共に封建制を経験したという歴史的条件や中緯度、温帯で適度な雨量があって自然に恵まれた地理的条件などが似ていたために、平行的な道を歩んだというのです。梅棹はこうした恵まれた自然条件に加えて、「なによりもここは、はしっこだった。中央アジア的暴力がここまで及ぶことはまずなかった」。第一地域は「まんまと第二地域からの攻撃と破壊をまぬかれた温室みたいなところ」で、こういう「条件のよいところでぬくぬくと育って、何回かの脱皮をして今日にいたった」というのです。

梅棹の理論は、地理的には遠く離れ、前近代までは後進地域であった西ヨーロッパと日本が、近代以降同じように――平行するように――躍進し、資本主義経済を発展させていった不思議について答えを提出している点で画期的であり、その際に植生や気候、自然条件を加味して分析している点でも出色でした。

松田壽男の「アジア史論」——六つのアジア世界

この梅棹忠夫の「文明の生態史観」は日本では有名ですが、世界的にはまだまだ知られていません。次に紹介する松田壽男の「アジア史論」は、国内でもまだあまり知られていないのではないでしょうか。けれども大変示唆に富む見方です（『アジアの歴史』）。

松田は、まずアジアの気候を北から順に、

シベリアなどの森林地帯・亜湿潤アジア（セミウエットアジア）
西アジア・中央アジアの砂漠地帯・乾燥アジア（ドライアジア）
東アジア・東南アジアの季節風地帯・湿潤アジア（ウエットアジア）

の三種に分類します。湿潤アジアは、モンスーンアジアとも言われ、農耕に適しますが、沿海部や島嶼《とうしょ》部では農耕だけでなく海洋生活もさかんでした。乾燥アジアは砂漠のアジアであり、遊牧を営んだり、オアシスで農耕を行う者もいました。亜湿潤アジアはシベリアに相当し、寒冷な地域に針葉樹の森林を形成しています。ここでは狩猟生活が普及しました。

この三つの基本的な風土区分に、七世紀の僧・玄奘《げんじょう》の知見による地域区分を加味します。

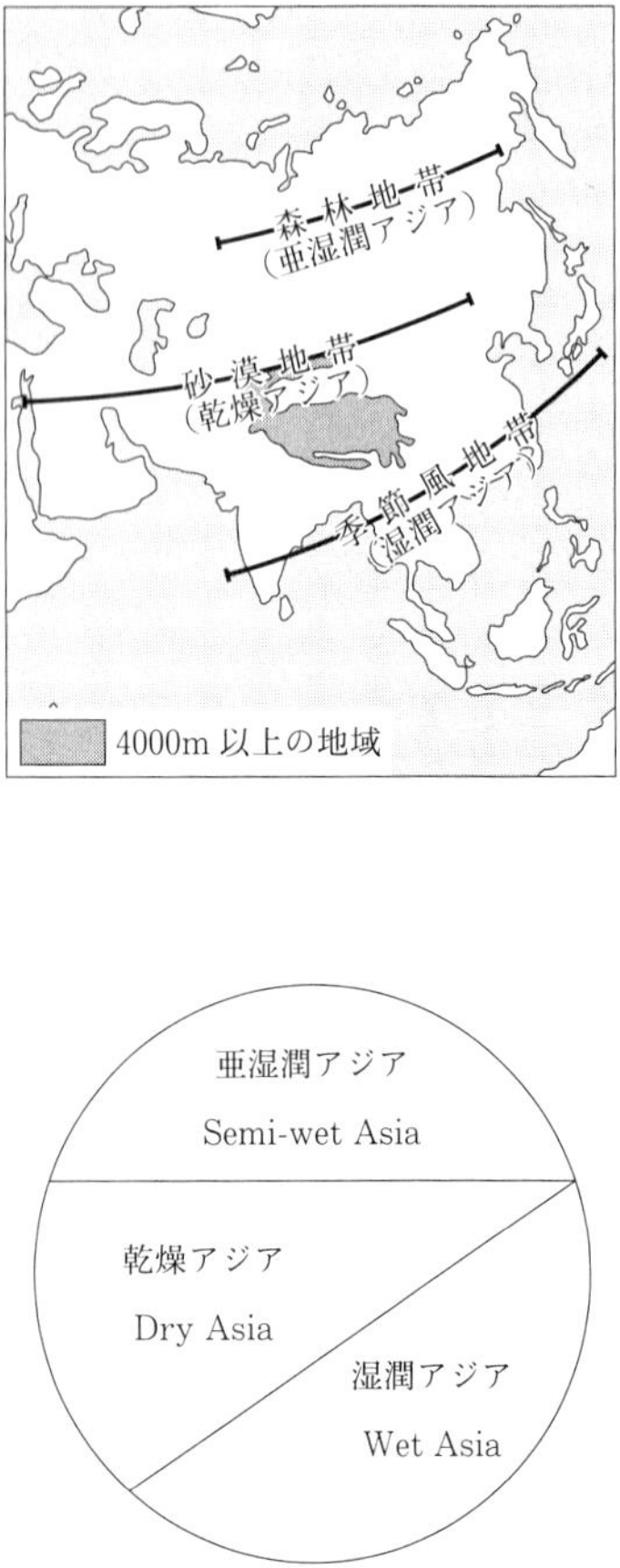

松田壽男による3つのアジア

玄奘は、中国からシルクロードを旅してインド、西アジアに及ぶ大旅行記『大唐西域記』を綴りました（あの『西遊記』の三蔵法師のモデルです）。そこで自らが経由し見聞した国を、その特徴からこのように呼んで区分しているのです。

（ア）人主の国＝中国
（イ）象主の国＝インド
（ウ）宝主の国＝西アジア（ペルシア）
（エ）馬主の国＝中国北方（モンゴル遊牧民）

「人」「象」「宝」「馬」となかなか的確にそれぞれの文化の特色を捉えていると感心します。このうち人主の国と象主の国は湿潤アジアに相当しますし、宝主の国と馬主の国とは乾燥アジアに相当するでしょう。

この二つを掛け合わせ、松田は広いアジアをこのように地域区分しました。

（A）森林アジア・狩猟世界（シベリア・貂主《てんしゅ》の国）…亜湿潤地帯
（B）遊牧世界（モンゴル・馬主の国）…乾燥地帯
（C）東アジア農耕世界（中国・人主の国）…湿潤地帯
（D）南アジア農耕世界（インド・象主の国）…湿潤地帯

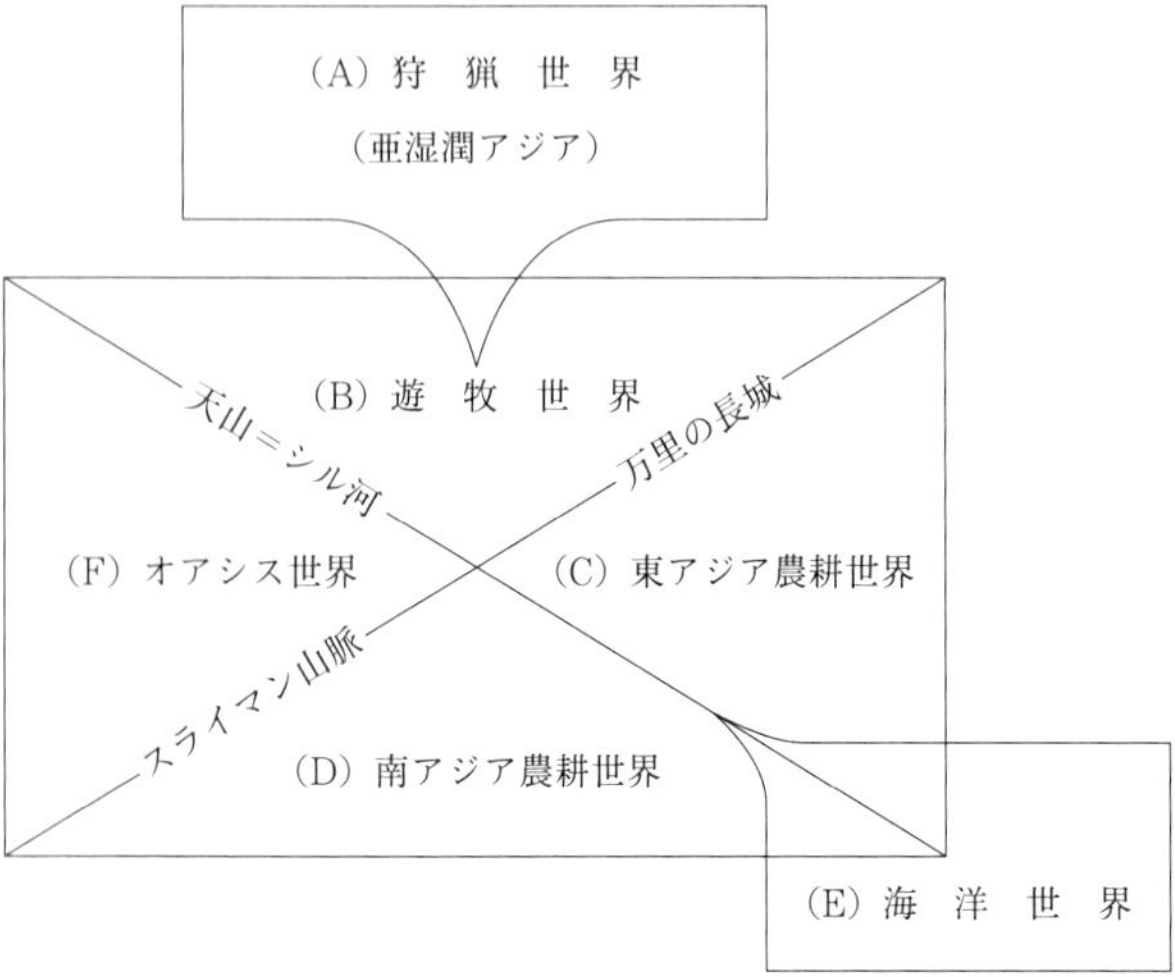

松田壽男による6つのアジア

（E）海洋世界（東南アジア・香主の国）…湿潤地帯

（F）オアシス世界（西アジア・宝主の国）…乾燥地帯

松田が新しく設けた「貂主の国」とは、シベリアの狩猟文化圏のことです。ここでは貂《てん》を狩猟し、その皮（貂皮）をステップ遊牧民の中継を通じて、遠くギリシアや中国にまで伝えました。貂の皮は最高級品として古代ギリシアや中国で取り引きされたので、この点においてこの地域は「世界史の檜《ひのき》舞台につながっていた」のでした。また東南アジアの半島部や島々などの海洋世界が、特産の真珠・鼈甲《べっこう》・象牙・香料などを商品として、

〝海のシルクロード〟を経由して、中国やインドと強い連携を保っていたこと（南海貿易）を指摘し、この海洋アジアを「香主の国」と名付けました。こうして全部で六つの世界がアジアに存在したと考えました。

インドと中国を結ぶ東南アジア

この六つのなかでも有力なのは、もちろん（C）東アジア農耕世界（中国・人主の国）と（D）南アジア農耕世界（インド・象主の国）です。両者を結ぶ交易の道がシルクロードですが、十五世紀ころからポルトガルやスペインなどが大航海時代の始まりによって、インド航路を開拓し、アジアへ乗り出すようになると、陸路より海路が盛んな時代となり、ちょうど両者をつなぐ位置にある東南アジア（海洋世界＝香主の国）の港湾が貿易の拠点として台頭しました。

この点を捉えて松田は言います。

> 湿潤アジアを構成する二大要素、すなわち東アジア農耕世界（中国＝玄奘のいう人主の国）と、南アジア農耕世界（インド＝玄奘のいう象主の国）とが、中間の海洋世界（東南アジア＝香主の国）を媒介として握手する形があった。この形が近代にまで延長

され、かつそれがヨーロッパ人の力によって歪曲され、強調されたのが、近代アジア史の主体である。ところが、前近代のアジアでは、むしろ内陸アジアを中間に置く東西の関係が中核となる。

中国大陸も南北二つの地域に分かれます。気候や自然条件では、北は乾燥アジア、南は湿潤アジアで気温も温暖です。農作物も北は麦の畑作に対して南は米の稲作です。その境界線は秦嶺・淮河《わいが》を結ぶ線にあり、黄河文明は北、長江は南に属するといいます。

遊牧世界像の一新

（B）遊牧世界（モンゴル・馬主の国）について、梅棹忠夫が「激しい破壊力」をもち、くりかえし「文明の世界を嵐のようにふきぬけていった」存在と評したことを先に紹介しました。他にも梅棹はざっくばらんな言い方ですが、「むかしからなんべんでも、ものすごくむちゃくちゃな連中が、この乾燥した地帯のなかから出てきて」、「文明の世界を嵐のようにふきぬけていった」とも述べています。これと境を接する第二地域（中国・インド・ロシア・トルコ）は「いつ襲い掛かってくるかもしれない新しい暴力に対していつも身がまえていなければならなかった」というのでした。

こうした見方には今では多くの批判があります。松田壽男は「北方遊牧勢力の中国侵略や掠奪《りゃくだつ》の事件は、たとえいかほど多く記録されていようとも、それは特殊なケースであり、非常態にほかならない。南北関係の常態は、むしろ日常茶飯事として記録されなかった関係」にあったと言いました。両者の関係の「常態」とは、遊牧民が所有する「牧畜生産物」と中国の「農耕生産物」との交易であったというのです。松田は、中国側の品物の代表として特産の「絹織物」、牧畜生産物の代表として「馬」を挙げ、この交易を「絹馬《けんば》交易」と称しました。中国（漢民族）にとっても馬の貴重さ、重要さは言うまでもないでしょう。掠奪が行われたのは、交易がうまくいかなかった時に限られており、あくまでそれは異常事態であったというのです。

世界を一体化したモンゴル帝国

さらに近年、中央ユーラシア史研究者の森安孝夫は、この交易関係は、中国側の史料には遊牧民からの「朝貢」であったかのように書かれていても、実際には騎馬軍団を擁する遊牧国家が優位に立っていたことを明らかにし、この「絹馬交易」が最も盛んだったのは六～九世紀の隋唐、突厥《とっけつ》、東ウイグルの時代であったとしました。遊牧民が住む中央ユーラシアの乾燥地帯は、荒廃した土地といったマイナスイメージが強いかもしれません。しかし森安によれば森林や大河が無く、ラクダやロバ、馬、牛など輸送・運搬に適した大型家畜が生息するなど、この地帯はむしろ活発な交通を支える条件に恵まれていたと言います。ここをセンターとして、その四隅に位置する中国・インド・ロシア・ペルシア（イスラム）とをつなぐ「ネットワーク」の「大動脈」の役割を果たしたのがシルクロードだったというのです。

　遊牧世界がそうした役割を最も顕著に担ったのは、チンギス・ハーンの建国したモンゴルの大帝国の時代でした。西はポーランド、ドイツあたり、東は朝鮮半島から日本の目前まで来ていたモンゴル帝国の時代は、これだけの広範囲の地域が一つの国の領土になっていた交通盛んな時代でした。西域史研究の碩学・岩村忍がいうように、「モンゴル皇帝の許可証一枚あれば、東は朝鮮から西はヨーロッパまで、自由に往来できた」（『東洋の発見』）のでした。モンゴル帝国の大征服が、人―物―カネの流通を促進し、世界を一体化させたという指摘はたしかにその通りでしょう。

ゲルマン人のギリシア体験

ヨーロッパの古代がローマ帝国の滅亡とともに終焉したあと、蛮族といわれたゲルマン人が封建諸国家を建設し、ローマカトリック教会が強大な権威と権力を保った中世を経て、ルネサンス、大航海時代、宗教改革によって新たな時代が到来しました。古代・中世に続く近代です。

先にも述べたように、ルネサンス以前、ヨーロッパの人々にとってギリシアやローマの文化はなじみのないものでした。古代の文化はローマ帝国の滅亡とともにゲルマン人には受け継がれず、東方の東ローマ帝国さらにはイスラム世界に受け継がれたのでした。それがどのようなきっかけで、ギリシアの古代文化に触れたのか。きっかけは東ローマ帝国がイスラム勢力により滅ぼされたことにありました。十五世紀に東ローマ帝国の首都コンスタンティノープル（現在のイスタンブール）が滅亡すると、多くのギリシア人学者たちがアラブ世界に保存されていた古代ギリシア・ローマ文化の貴重な文献とともにイタリアに亡命しました。その影響により、イタリアには「古典古代文化の復興（ルネサンス）」が起こったのです。

ルネサンスとフィレンツェ

ルネサンスは、ギリシア・ローマの古典や古代の文化を再評価し、これを受け継いでさらに発展させていこうとする運動でした。そのなかで、中世のキリスト教全盛時代の神重視・天国（あの世）中心の世界観から、人間重視・現世（この世）中心の世界観へと大きく転換したのです。

この時代、いきいきとした人間の生き方、個人の才能を存分に発揮した天才の芸術、美しい人間の肉体や自然などを描こうとする傾向が生まれました。その背後には、東方貿易によって繁栄した商業都市フィレンツェやベニス（ヴェネツィア）の商人やローマカトリック教会がいました。莫大な富をもつ彼らは、芸術家たちのパトロン（経済的保護者）となって、支えていたのです。フィレンツェの市民には優れた芸術家を貴び、これを育てる雰囲気があったことを、美術史家の高階秀爾が明らかにしています（『フィレンツェ』）。この都市では、美術や建築のコンクールが行われ、市民たちはこぞってこれに参加しました。この都市はまことに知的な都市でした。

この時期、フィレンツェを事実上支配していたのはメディチ家（ロレンツォ・デ・メディチ）という商人の家でした。初期のルネサンスは、この都市で栄えたのでした。

レオナルド＝ダ・ヴィンチ

レオナルド＝ダ・ヴィンチ（一四五二〜一五一九年）は、フィレンツェ生まれ。画家であり、科学者でもあった万能の天才です。代表作に「受胎告知」「岩窟の聖母」「最後の晩餐」「モナ・リザ」などがあります。彼の人生は不明なことが多く、「死後三十年ほどの間にほとんど伝説的な存在になってしまった」（ヴァザーリ『芸術家列伝』）と言われています。早くから遠近法・明暗法による表現を追求しました。

ダ・ヴィンチの代表作は何といっても、「モナ・リザ」です。ルーブル美術館では珍しく、ガラスケースに守られている名品です。先入観に反して案外小さい作品でしたが、じっと見ているとその世界に吸い込まれるような魅力をもった女性像でした。

ダ・ヴィンチには未完成の作品がたくさんあるといいます。注文を受け、制作を始めても結局完成しなかったものが多くあるようです。いろいろなことに知的好奇心を持った天才ゆえのエピソードといえるかもしれません。

ミケランジェロ

ミケランジェロは彫刻家であり画家であり、建築家でもあった、ルネサンスを代表するもう一人の天才芸術家です。代表作には彫刻「ピエタ」「ダビデ像」、システィナ礼拝堂の天井画「天地創造」と壁画「最後の審判」、建築設計に関わったものとして、「サンピエトロ大聖堂」（バチカン市国）があります。自身も画家であり、同時代の多くの優れた画家たちの列伝を書いたヴァザーリは、彼が教皇やメディチ家などのパトロンたちと戦いながらもその援助を受けつつ、自らの芸術を打ち立てていった苦闘のさまを記録しています（『芸術家列伝』）。

ローマの中心部、バチカン市国のサンピエトロ大聖堂の中に入ると、天井のおそろしく高い広大な空間に荘厳なキリスト教的世界がみなぎっています。入ってすぐの右手に彫刻ピエタがあります。若いマリアが十字架から下ろしたイエスの遺体を膝の上に置いて、俯きうなだれている姿です。息の詰まるような気高さ、美しさと息子を失った母の深い悲しみが伝わってきます。ミケランジェロ二十四歳の作品といいますから驚きます。

システィナ礼拝堂のなかには、ミケランジェロが三十代のころに描いた天地創造の天井画と、彼が六十代になって描いた最後の審判の大壁画があります。まさに畢生の大作ですが、彼はこれをほとんど独力でやり遂げました。一人の人間が一生の間にどれだけのことを成し遂げることができるか、その極致がミケランジェロの人生に表れている、と当時称賛されました。

大航海時代と宗教改革

大航海時代（地理上の発見）は、十五〜十七世紀に航海技術の進歩（羅針盤の発明）によって、ヨーロッパ人（ヴァスコ＝ダ＝ガマ、コロンブス、マゼランら）がアジア・アフリカ・新大陸（アメリカ大陸）へ進出した出来事を指します。かくしてヨーロッパは拡大・膨張し、世界は一体化への道を歩み始めました。

宗教改革は、十六世紀、マルティン＝ルターやカルヴァンらが、ローマカトリック教会の権威を否定し、従来のカトリック（旧教）に対してプロテスタント（新教）を創始した宗教運動です。以後、ローマ教皇の権威は低下し、プロテスタントは、「カトリック教会が精神界を独占していた中世を否定し、多宗派の時代としての近代の幕を開いた」（奥村博司・東出功・前田俊哉『西洋史展望』）のでした。

一方で旧教の復活を図るイエズス会はアジア・アフリカ・アメリカ大陸に布教しました。

この世界布教はちょうど同時期、これらの地域に展開したヨーロッパの植民地化と連動していました。日本でもフランシスコ・ザビエルが鹿児島にやってきたのはあまりにも有名です。

その後のヨーロッパの伸長について京都大学教授でヨーロッパ史学者であった前川貞次郎はこう言っています。

> かつては「ユーラシア大陸の西北隅の一半島」にすぎなかったヨーロッパの地に形成された文明が、わずか四〇〇年たらずの間に、地球全体に拡大し、既存の諸文明に大きな影響を与え、それを通じてヨーロッパ文明自体も大きな変化を受けつつ、世界の一体化、人類の単一な社会への道を切り開いたことは、どのような立場から「世界史」を考えるにしても、無視することのできない世界史的な重要現象である（『ヨーロッパ史序説』）。

シェイクスピア

ルネサンスはイタリアからアルプスを越え、北フランス・イギリスへも及びました。イギリスでは、劇作家シェイクスピアが、十六世紀後半から十七世紀にかけて傑作を続々発表しました。近代演劇の始まりです。四大悲劇として有名な「ハムレット」「マクベス」「オセロ」「リア王」。このほか、「ロミオとジュリエット」「ベニスの商人」「リチャード三世」、喜劇では「真夏の夜の夢」「間違いの喜劇」など、挙げればきりがありません。

　二十世紀、本場イギリスでは、ローレンス・オリヴィエがシェイクスピア役者として有名で、彼の主演作品は幾多の映画にもなっています。日本では、古くに坪内逍遥が全訳し、その後、福田恆存や小田島雄志などの訳が知られています。私がこの目で見たのは、劇団四季が上演した日下武史の「ハムレット」。「マクベス」は油ののりきった時期の江守徹が、麻美れいのマクベス夫人と組んだもの、無名塾で仲代達矢が齢七十七にして演じたもの（夫人は若村麻由美）を見ました。圧巻だったのは仲代達矢の「リチャード三世」。「リチャード三世」は実力ある俳優にはすこぶる魅力ある役柄なので、いろいろな名優が演じていますね。仲代達矢のほか、平幹二朗、山崎努、緒形拳、江守徹ら日本を代表する俳優が舞台で演じています。ここで「マクベス」の有名な台詞をご紹介しておきましょう。

シートン　お妃様が、陛下、お亡くなりに。

マクベス　あれもいつかは死なねばならなかった。このような知らせを一度は聞くだろうと思っていた。明日、また明日、また明日と、時は小刻みな足どりで一日一日を歩み、ついには歴史の最後の一瞬にたどりつく。昨日という日はすべて愚かな人間が塵と化す死への道を照らしてきた。消えろ、消えろ、束の間の燈火《ともしび》！　人生は歩き回る影法師、あわれな役者だ。舞台の上で大げさに見得をきっても、出場《でば》が終われば消えてしまう。白痴のしゃべる物語だ。わめきたてる響きと怒りはすさまじいが、意味は何一つありはしない（小田島雄志訳）。

ポルトガル・スペイン・オランダの時代

ルネサンスは、フィレンツェ、ローマ、ヴェネツィアなどイタリアの諸都市を舞台に栄えました。これら地中海沿岸の諸都市は、より豊かなイスラム圏との間の東方貿易によって巨富を得てきたのです。しかし相次ぐ地理上の発見によって、インド航路が開拓されるようになると、次第に地中海商業の意義が低下し、これに代わって大西洋岸に面したイベリア半島のポルトガルやスペインなどが台頭してきました。ヴァスコ＝ダ＝ガマ、コロンブス、マゼランらは、これらの国々の支援を得て、大航海を行ってきました。

最初に台頭したのはポルトガルで、のちにポルトガルの王位を併せ持ったのがスペインでした。しかしスペインは無敵艦隊がイギリス海軍に敗れて急速に衰退し、次にオランダ、さらにイギリスが台頭しました。

この当時の傑出した画家に、ベラスケス、レンブラント、フェルメールなどがいます。オランダ出身のレンブラントは、大作「夜警」や、聖書の場面を描いた作品や多くの自画像で有名で、陰影の深い奥行きのある光と影の画家といわれます。フェルメールもオランダの画家です。ルネサンスを経て、十七〜十八世紀の西洋絵画は深みと重厚さを増していきました。遠近法に代表される立体的・三次元的な表現は、西洋近代特有のものといえるでしょう。

デカルト『方法序説』

オランダといえば、この国には著名な哲学者がいました。フランス生まれのデカルトです。短い著書ですが、『方法序説』は、正しい結論を導き出すために必要最小限なことは何か、を考えた本です。そこで彼が達したのは、四つの規則でした。「おびただしい数の規則の代わりに」、「次の四つの規則を守るだけで十分だ」という結論に至ったのです。その四つとは、こういうような内容です。

> 第一は、私が明らかに証明されて正しいと認めるものでなければ、どんなことも真として受け入れない、ということである。言い換えれば、注意深く速断と偏見を避けること、そして疑いをさしはさむ余地の全くないくらい、明晰かつ判明に精神に現われるもの以外は、何ものも自分の判断の中に含めないこと。
>
> 第二は、検討する難問のひとつひとつをできるだけ多くの、しかも問題を最もよく解くために必要なだけの、部分部分に分割すること（要素還元主義）。
>
> 第三は、思考を順序に従って導くこと。最も単純で最も認識しやすいものから始めて、一歩ずつ階段を昇るようにして、次第に最も複雑なものの認識にまで昇っていくこと。
>
> その際、自然のままでは互いに前後の順序がつかないようなものの間にさえも、順序を想定してその順に進むこと。
>
> そして最後は、すべての場合にひとつも漏れがなかったと確信できるほど、ひとつひとつデータを数え上げ、全体にわたる見直しをすること。

この四つの規則を正確に守ることによって、あらゆる問題を容易に解く能力を得られると、デカルトは言います。「人間が認識できるすべての事柄は、同じやり方でつながり合っている」のであり、「最も単純で、最も一般的な問題から検討を始め、その結果ひとつの真理を見出すと、それが次に必ず別の真理を解明するのに役立つ」。このやり方で難しいと思っていた問題でも必ず解くことができるというのです。

そこで彼はひとつの結論に達します。

　われ思う、ゆえにわれ在り。

彼は自然を、人間によって認識される側の「客体」と、認識する側である「主体」にはっきり分けることにしたのです（心身二元論）。現在ではそこに弊害も指摘されていますが、それでもやっぱり認識する側（科学者）と認識される側（つまり研究される側）を峻別することによって近代科学が発展してきたことは間違いないでしょう。

さてデカルトが指摘したこの四つの方法は、二十一世紀の現在においてもやはり有効な規則であろうと思います。中でも第二番目に挙げられた要素還元主義は、西洋近代科学の本質を生み出し、その科学技術の源になりました。逆に言うと、こうした思考形式は、アジア（東洋）には顕著には存在しませんでした。そこに十九世紀以降の東西の科学技術に大きな差が生まれる要因もあったのかもしれません。

西洋近代科学の発展

デカルトから遡ること約百年ほどの間に、西洋の科学、特に物理学が大きく発展しました。宇宙を地球ではなく、太陽を中心としたモデルとして捉える地動説を考案したコペルニクス、その約七十年後に、新しく発明された天体望遠鏡でこれを実証したガリレオ＝ガリレイの学説です。ガリレオは、仮説、論証、実験に基づき、これを数学的な記述によって記した点も画期的でした（松井孝典『文明は〈見えない世界〉がつくる』）。地動説は、地球という星を相対化するものであり、キリスト教の世界観とは相いれないものでもあったため、ガリレオは異端審問を受けることになりました。

アイザック・ニュートンが生まれたのは、ガリレオが亡くなった一年後（一六四三年）でした。有名な万有引力の発見は、よく知られているように現代科学の基礎となったものです。では、この時期に確立した西洋近代科学とはどういったものだったのでしょうか。先ほど触れた、デカルトの『方法序説』にあった「要素還元主義」、「心身二元論」も、その重要な要素でした。

戦前戦後に活躍した物理学者・中谷宇吉郎は、名著『科学の方法』の冒頭で「すべての自然現象が科学で解決できるわけではなく、科学が扱えることには限界がある」と述べています。意外に思われるかもしれませんが、確かにそうなのです。

なぜなら、まず科学は実験や計算によって再現可能な問題がその対象となっているということがあります。科学が対象とするのは、それが本当であるか、本当でないかということです。では、科学において何が本当かというと、中谷は、

いろいろな人が同じことを調べてみて、それがいつでも同じ結果になる場合にはそれを本当というのである。

と説きます。ある実験の結果が何度でも（誰がやっても）同じように再現できれば、それは本当のこと、事実として証明されるわけです。また人文科学のように実験はできなくとも、

ある人が、ある問題について得た知識が、今まで我々の知っていたはずのほかの知識に当てはめてみた時に、従来の認識との間に矛盾がないとする。矛盾がなければ、いかにもそれはそうであろうと信用することができる。

つまり「互いの知識の間に矛盾がない」場合、それは本当だろうと認められるということです。

学問とは仮説の体系

戦後を代表する知性といわれた評論家・加藤周一が、哲学者の久野収との対談で、久野の言葉を受けて、学問とはなにかについて語っているのも同じようなことです（「戦後学問の思想」『加藤周一対談集　歴史・科学・現代』）。加藤は、

> 学問はたくさんの仮説から成り立っている、仮説の体系みたいなもの

だと定義し、

> 仮説を作るには、知られているいくつかの事実（についての情報）と、少数の仮定（これは証明できない）とから出発し、一定の手続きを辿る。でき上がった仮説は、今おっしゃったような内的矛盾を含まないようなもので、どの程度に広い事実を説明できるか、事実でチェックする。大ざっぱにいえば、およそそういうことになるだろうと思います。

と語っています。これは確かにその通りでして、本書でもこのあといろんな学者たちの仮説が登場しますが、それらが認められるかどうかは、ここにかかってくるわけです。

この西洋近代の科学的合理精神が、産業革命に代表されるような、その後の西洋の物質文明の圧倒的な優越を促していく原動力になるのでしょう。

イギリス・アメリカ・フランスの市民革命

十七世紀、西欧諸国は海外に広大な植民地を獲得し、その経済力を背景に絶対王政の時代をもたらしました。中世の封建領主の時代とははっきり異なる、法から超然とした、絶対の権力をもった王による政治です。貴族の力は次第に王権に吸収され、王権は市民と官僚と常備軍によって支えられました。この典型がフランスとイギリスです。

そしてこれに対する反発から、十七〜十八世紀には市民革命が起きました。イギリスの清教徒革命・名誉革命、アメリカの独立革命、フランス革命です。その結果、イギリスには国王は「君臨すれど統治せず」という立憲君主制が形成され、責任内閣制のもと、議会による政党政治が始まりました。一六八八年の革命では、一滴の血も流さず革命が行われたことを誇りとし、これを名誉革命とよびました。

アメリカの独立革命は、一七七六年、イギリスから北アメリカに移住・植民した人々（その多くが清教徒＝ピューリタンでした）が、本国イギリスの干渉に抵抗し、戦争によって独立を獲得した革命です。そしてフランス革命は、ルイ十六世に代表される絶対君主政から、中産市民階級が権利獲得をめざして決起したことに始まります。パリ市民が専制支配のシンボルとされるバスティーユ監獄を襲撃し、自治機関・自衛軍を組織しました。一七八九年、自由・平等・思想や言論の自由、人民主権、三権分立などを謳った人権宣言が発表されました。革命のなかで国王ルイ十六世は処刑され、多くの血が流されました。

のちには、軍人ナポレオンが権力を握り、革命の輸出を図って、ヨーロッパ各地を支配下に治め、さらにイギリス、またロシアへの進出にも乗り出しました。最後は、ヨーロッパ諸国の反抗にあって、皇帝となっていたナポレオンは失脚しました。以後、ヨーロッパ列強の指導者たちは十九世紀初頭に集結し、欧州秩序を再建するためのウィーン会議が開かれました。

輝ける十九世紀のヨーロッパ芸術

チャールズ・ダーウィンが『種の起源』を著し、進化論を発表したのは、一八五九年のことでした。ヒトがサルのような動物から進化したという説は大きな反発を受けましたが、十九世紀は聖書に書かれたキリスト教の世界観から脱して、科学が飛躍的に発展した時代だったのです。

この世紀は、さまざまな芸術において、一つの頂点を形作る時代でもありました。文学では小説が一つのピークを迎えたと言っていいでしょう。フランスでは、『赤と黒』『パルムの僧院』のスタンダール、『レ・ミゼラブル』のビクトル・ユーゴー、『ゴリオ爺さん』のバルザックなど。イギリスでは『二都物語』のディケンズ、『嵐が丘』のエミリー・ブロンテ。ロシア文学では、『外套』『死せる魂』のゴーゴリ、『罪と罰』『カラマーゾフの兄弟』のドストエフスキー、『戦争と平和』『アンナ・カレーニナ』のトルストイなど。世界最高峰とまで賞される大小説が生み出されました。

近代絵画の開花

絵画の世界でも新しい潮流がありました。美しい風景画で知られるクールベ、ターナー、ひたすら耕作に励む農民とその信仰の姿を描いたミレー、そして印象派の父と呼ばれるマネ。それまでの西洋絵画は、聖書やギリシア神話の一場面を描いた絵、歴史的な事件や英雄を描いた絵、国王や大富豪などの肖像画が主流でした。そんな伝統から、風景や一般庶民、裸婦や静物（果物や家の中にある普通の物）を描いた絵へと大きく転換したのでした。

その手法も新しくなりました。かつて絵画は、現実を再現することを最大の目標とし、そのための方法として遠近法や明暗法が編み出されました。それは、二次元の画面に三次元の世界を創り出し、「眼に見える通りにそれらしく再現」するためのやり方でした。これに対し十九世紀の印象派は画面の平面性を尊重し、これを強調したのです。絵画の革命ともいえるこの挑戦に大きな示唆と影響を与えたのが、日本の江戸絵画でした。高階秀爾によると日本の美術は、「西欧絵画に見られるような意味での三次元世界の表現は求めない。むしろ逆に、二次元の平面であるという画面本来の特性を尊重し、それを強調しようとする」ものでした（「装飾性の原理」『増補　日本美術を見る眼　東と西の出会い』）。

マネ、ゴッホ、ドガ、モネ、セザンヌなどの印象派は、日本の浮世絵の「画面構成の新しさ、デッサンの妙、色彩の輝き、絵画的手段の単純化等」に魅せられたのでした。ただ影響を受けたといっても、出来上がった作品は、高階も指摘しているように、決して異国趣味（エキゾティシズム）のものではなく、やっぱり西洋絵画、新しい西洋絵画なのです。彼らは主体的に日本の絵画を学び、自らの絵画に新機軸を打ち出したのでした。

産業革命による進歩とその歪み

この十九世紀を通じて、もう一つ別の革命が進行しました。産業革命です。それまで人間は、動力（エネルギー）として人力・馬力・風力（風車）・水力（水車）などを用いてきましたが、十八世紀中ごろイギリスにおいてワットが蒸気機関を発明し、織機・製鉄・交通機関などに利用されるようになりました。機械を製造するための製鉄・石炭工業が発展し、一八〇七年に蒸気船、一八一四年にスティーブンソンによって蒸気機関車が発明されました。蒸気機関のためには大量の石炭が必要ですから、炭鉱や鉄山の開発が進み、その付近に新しい都市が生まれました。工場の煙突からはモクモクと煤煙が立ちのぼりましたが、これが文明の象徴でした。

　産業革命はイギリスからフランスに波及し、工場制機械生産が拡大、大量生産が飛躍的に進み、資本主義がここに確立しました。イギリスは「世界の工場」とよばれ、資本家（ブルジョワジー）と労働者（プロレタリア）の階級の差が顕著になりました。マルクスとともに資本主義社会の矛盾を鋭く分析した同志エンゲルスの代表作『空想より科学へ』はその実態をこのように描き出しています。

> 　資本主義生産の前、すなわち中世では、労働者が彼の生産手段を所有するという基礎の上に立つ小経営が一般に行なわれていた。それは、自由農民もしくは隷農による小農の農業、都市の手工業であった。労働手段——土地、農具、仕事場、道具——は、各個人の労働手段であって、それは個人しか使用しないもの、したがって当然貧弱で、

小型で小さい能力のものだった。したがってまた普通、生産者自身のものだった。しかし産業革命によって生産の規模が一変したのです。人々の生産手段も変わりました。糸車や手織り機や鍛冶屋の槌の代わりに、紡績機や力織機や蒸気槌が現われ、個人の仕事場の代わりに数百人、数千人の協同作業を要する工場が現われた。生産手段がそうなると、生産そのものも、一連の個人的行為から一連の社会的行為に変わり、生産物も個人的生産物から社会的生産物に変わった。今では工場から作り出されてくる糸も、織物も、金属製品もみな多数の労働者の共同の生産物であり、その完成には多くの労働者の手を順々に通らなければならない。だから、それについて、それは俺の生産物だ、などとは誰にも言えない。

かつてのような自給自足的な手作りの生産はなくなりました。手作り生産の労働者は、自分の生産手段――土地、農具、仕事場、道具――さえあれば、どこでだって生きていけた。彼らは、これは俺の作った靴だ、鞄だ、と胸を張って言えましたが、そうした時代は過去のものとなりました。

　産業革命以後、生産手段は紡績機や力織機や蒸気槌などになり、これらを所有している資本家のものとなったのです。生産手段を奪われた人々は自分の労働力の他には何も持たない無力な存在となり、厳しい労働条件にも我慢して工場の労働者として働かざるをえなくなりました。この深刻な社会矛盾が社会主義思想を生み出すことになります。

『資本論』と社会主義革命の展望

エンゲルスは言いました。「従来の一切の歴史は、原始時代を除けば、階級闘争の歴史であった」と。「この闘争しあう社会階級は、常に生産と交換関係の、一言でいえばその時代の経済的諸関係の産物であること、それゆえにそのときどきの社会の経済的構造が、つねにその現実の基礎をなし、歴史上の各時代の法律制度や政治制度はもちろん、そのほか宗教や哲学やその他の観念様式などの全上層建築は、結局この基礎から説明すべきものである」と。そこから彼らは、人類の歴史的段階を、その経済的な生産諸条件によって、アジア的専制・古典古代的・封建的・近代ブルジョア的生産様式の四段階に進歩していくものだとしたのでした。そして未来にはプロレタリアート（労働者）による社会主義革命が起きると予言したのでした。

マルクスとエンゲルスは、社会主義革命によってプロレタリアートが権力を握り、資本家の手から「生産手段」を取り戻し、これを「公共所有物」に転化することにより階級闘争は終焉し、国家も死滅すると考えました。しかし現実にロシア革命によって出現した史上最初の社会主義国家ソ連は、生産手段の国有化は実現しましたが、国家を死滅させることはできませんでした。柄谷行人もいうように、結果はその正反対、「史上空前の専制国家の出現をもたらした」(『力と交換様式』)のでした。生産手段の国有化によっては、国家の揚棄は実現しなかったのです。

それは、資本主義経済を否定することにはなったけれども、単に労働者を国家の下での賃労働者にしただけだった。また農業の国営化(コルホーズ・ソホーズ)は、アジア的専制国家の農業共同体に逆戻りするだけだった、と柄谷は喝破します。「生産手段の国有化と国家統制によって国家官僚は絶大な力を持」ったのでした(『世界史の構造』)。どこでマルクスやエンゲルスは間違えたのか。

柄谷行人の交換様式論

戦後を代表する知識人の一人である柄谷行人は、晩年のマルクスが生産手段や生産の様式ではなく、交換様式によって歴史の変化を捉えようと模索していたことを明らかにしました。この試みはマルクスの死によって未完に終わりましたが、柄谷はこれを批判的に受け継ぎ、発展させることを目指しました。これが彼の壮大な交換様式論です（『世界史の構造』『力と交換様式』）。

　人間は日々の生活の中で必要な食料その他いろいろなモノを他の人、他の共同体と交換することで、生きている動物だと言えるでしょう。具体的にはどのような交換をしているのか。そこには時代によって差もあります。柄谷は、これまで四つの交換様式が各時代に対応して現われたと言いました。

交換様式A——互酬の関係

　まず交換様式Aは、贈与—お返しという互酬の関係です。具体的にはこれは、贈与をする義務、贈与を受け取る義務、さらにそれにお返しをする義務の三つから成ります。未開社会では、「食物、財産、女性、土地、奉仕、労働、儀礼等」さまざまなものが贈与され、返礼されるシステムがありました。国家成立以前の氏族社会では、この交換が社会の安定に寄与していたのでした。そしてそれは、のちの時代にも一部で残っているでしょう。この贈与と返礼のやりとりは、共同体の内部で交換されるのではなく（家族内での贈与はお返しを期待するものではありません）、共同体と共同体の間で交換されるものでした。

柄谷によれば、この互酬の関係は人々が定住するようになって始まったもので、遊動的な狩猟民の段階にはなかったと考えられています。絶えず移動している狩猟民には、富を備蓄し私有する必要がないからです。狩猟して得た肉は、すぐさまみんなで均等に分けるので、他人に贈与し、お返しする必要もありませんよね。

これが定住し、農耕・牧畜が始まるようになると、富の不平等や階級の差が生じる可能性が出てきます。しかし、贈与―お返しという交換様式Ａは、権力や富の集中を抑止し、国家の形成を阻止するはたらきがあります。例えば先にも挙げたように、川田順造がフィールドワークしたアフリカ中部のモシ族の無文字・狩猟採集社会では、首長はときに臣下の者に飲食を大盤振る舞いして気前の良さを示す慣例があり、実は結構物入りだったため、貧富の差はそれほど隔絶したものとはならなかったのです。一人の手に権力や富が集中するのを嫌う志向（平等主義）がその背景にあったのです。交換様式Ａとは元々そういう仕組みだったのでしょう。

交換様式Ｂ――国家による支配と保護

次に交換様式Ｂとは国家による支配と保護です。国家は権力によって（力ずくで）民衆を強制的に抑え付けるようなイメージがあるかもしれませんが、そのようなものではないと柄谷は言います。「支配共同体は服従する被支配共同体を他の侵略者から保護し、灌漑などの公共事業によって育成するのである。それが国家の原型である」と柄谷は言います。確かにその通りです。

　国家は支配される人々を他の暴力から守る義務があります。被支配者にとっては、国家に組み込まれることで、「安全や安寧」が得られるわけです。この交換様式Ｂを象徴する交換が税です。国民は国家に税を払い、その代わりに国家は国民に安全や安寧を保障する。「支配―保護」、「略取―再分配」、それが交換様式Ｂです。

交換様式Ｃ――商品交換

　次に来るのが商品交換、すなわち交換様式Ｃです。ただし「ＣはＢが始まるのと同じ時期に始まった」ので、このＡＢＣは「相互にからまりあっている」と柄谷は言います。商品交換は「相互の合意に基づく」交換であり、「互いに他を自由な存在として承認するときにのみ成立」するという特徴があります。そこでは貨幣と商品が大きな価値を持っています。「貨幣をもつ者は暴力的強制に訴えることなく、他人の生産物を取得し、他人を働かせることができる。それゆえ貨幣をもつ者と商品をもつ者、あるいは債権をもつ者と債務者は平等ではない」。だからこそそこから貧富の差というものが生じるのです。この商品交換が最も発展を遂げたのが近代の資本主義システムです。「国家が交換様式Bによって成立したように、貨幣は交換様式Cによって成立した」ものです。

このA・B・C三つの交換様式はこの順に出現はしましたが、新しいものが生まれても古いものが滅んだわけではなく、この三つが併存しながら、歴史を歩んできました。現代でも贈与・お返しの交換様式はありますし、西洋中世封建制の君主と騎士の間の主従関係などは、この交換様式Aに分類されるでしょう。両者の間には主従関係こそあるものの、騎士の捧げる忠誠に君主が誠実に応えないときは、騎士は君主に服従する義務はないとされていたからです。これは支配と服従の交換様式Bではなく、まさしく贈与とお返しの交換様式Aです。

交換様式D――普遍宗教

そして四つめの交換様式Dです。これを柄谷は資本主義社会のあとに出現する社会原理だといいます。世界史の中でB（国家）とC（貨幣）が発展を遂げたあと、これらによってずっと封じ込められていたＡ（互酬）が、「高次元で回帰したもの」だというのです。その特徴は「生産物の共有という平等主義と、個人の自由独立性という観念」、そして「氏族社会にあった交換様式Ａの名残、あるいはその回帰」にあります。しかもそれは「人間の意志や企画によって生じる」ものではなく、「むしろそれに反してあらわれる」もの、「観念的な力、いいかえれば『神の力』としてあらわれる」ものだと言います。

　柄谷によれば史上最初にあらわれた交換様式Ｄは、キリスト教や仏教や諸子百家といった普遍宗教でした。それは、交換様式ＢとＣが支配的であった古代帝国の段階で「外見上はさまざまであるが」、「交換様式ＢとＣに抗して、Ａを〝高次元〟で回復するＤ」が「強迫的に到来したもの」という共通点がありました。のちにそれらはＢやＣにおさえこまれたり、自ら堕落してしまったりしたが、完全に消えることはなく、歴史において何度も息を吹き返したといいます。

交換様式Ｄ——社会主義

　社会主義という理想も交換様式Ｄのひとつだと柄谷はいいます。マルクスは、国家や階級や商品交換が生まれる前の未開社会を「原始共産制」と呼びましたが、それはこの交換様式Aを、未来の共産主義社会の拠るべき原型と考えていたからでした。贈与と返礼によって成り立つ古代社会のありように、近代社会も学ぶべきものがあると考えたのでした。交換様式Aは、「人間にとって基礎的な在り方」であり、滅ぶことは無いと考えたのです。「交換様式B＝国家」でも「交換様式C＝資本」でもない、これらとは異なるまた別の交換様式Dが向こうから現われるのだ、と柄谷は言います。柄谷が交換様式Dの表れとして将来に期待するのは、国際連合が進化した先に「互酬原理に基づく世界システムとしての世界共和国」（それはカントが最初に構想したものでした）が実現することです。そこでは諸々の国家がみずからの権力を世界共和国に贈与するのです。その実現が容易ではないことは柄谷も認めていますが、それでも彼はDは向こうから現われてくると繰り返します。人間が意図して作れるものではなく、どうしても必要なものとして必然的に現われるものだという意味でしょうか。

第五章　東アジア世界から見た日本の文化

二つの日本文化論

今回からはいよいよ日本の歴史と文化を取りあげます。しかし日本の歴史を詳しく論じる時間はありません。ここでは東アジアの歴史における、文明としての日本について考えてみたいのです。日本の文明について、これを「中国文化の一部であり、その部分的発達である」とする説と、「中国文化とは独自の孤立した文化である」とする説とがあります。前者を唱えたのは内藤湖南、後者を唱えたのは津田左右吉でした。

「日本文化は中国文化の部分的発達」

内藤湖南（虎次郎）は、京都帝国大学草創期の東洋史学講座の教授を務めた人物で、京大東洋学の祖ともいうべき大学者です。津田左右吉は、長く早稲田大学で東洋哲学・東洋文学・東洋史を講じた東洋学者です。研究対象は中国に限らず、日本の古典――『古事記』と『日本書紀』――にも及び、それらの厳密な文献批判を初めて手がけました。世代はやや内藤のほうが上ですが、二人とも専門は中国史・中国文化で、近代の中国学を代表する碩学です。広い視野から日本の歴史や文化について捉えた二人の対照的な論を要約し、紹介したいと思います。

内藤湖南「日本文化とは何ぞや」（『日本文化史研究』上）

いずれの国にも、国民にはいわゆるお国自慢があって、なかでも自国の文化が自発的であるということが、重きを為しています。しかしこれは少数の古い国、エジプトとかシナとかインドとかいうものを除いては、理由なき謬想《びゅうそう》（誤った考え）であって、たとえば児童が生れ落ちてから、段々と智恵がついてくる年頃は、年長者から導かれ教え込まれることが、その智恵の基礎になることは明瞭なる事実であります。しかし多くの日本人は今日ややもすれば日本文化なるものが最初から存在し、それが基礎になって外国文化を選択し、同化しつつ今日の発達を来たしたと解釈せんとする傾きがあります。

しかし事実は、日本には文化の種が出来上がっておったのではなくして、ただ文化になるべき成分があったところへ、他の国の文化の力によって、段々に寄せられてきて、ついに日本文化という一つの形を成したのではないかと思われます。日本文化というものは、日本だけで考えると、日本中心のように考えられますが、これを世界全体、また東洋全体から考え、その起源はどこから始まって、どういう風な順序を経て到達したのかを考えると分かると思うのです。

私は東洋の文化は、古来シナ中心であったと思います。もちろんインドもありますが、日本に関係しておる点ではインド文化――たとえば仏教など――もただちにインドから日本に来たのではなくして、大部分が一度シナを潜《くぐ》ってきております。私の考えでは、シナの文化が最初黄河の沿岸で発芽してそれが西、あるいは南の方に開けて、そのあと段々と東北に向かって開けていって、最後に日本にまで到達したのです。そういうものが段々方々へ拡がって、その方々の民族を刺激して、その刺激したたびごとにその地方に多少新しい文化を形作らせて、そうして最後に日本のようなところへ及んで来たので、日本が今日のような文化を形作られたのであります。

ところで文化というものはまた、中心から末端に向かっていく運動と、それから末端から中心に向かって反動する運動とがあります。その反動する運動にも権力関係から来るものと、純粋の文化から来る運動とがあります。最近では、シナの多数の学生が日本に留学をして、日本で学んでいるということは、日本から文化的反動が今シナに向かって起こりつつあるのであります。ですから、日本文化の起源はシナでありましても、決して日本文化が無価値というわけではない。全体から見れば日本文化は東洋文化の部分的発達、あるいは東洋文化、シナ文化の延長であっても、その部分的発達が東洋全体に日本文化として大いに影響することもあるのです。

「日本文化は中国文化とは別物」

津田左右吉「日本はシナ思想を如何にうけ入れたか」（『シナ思想と日本』）

日本文化の発達はシナの文物に負うところが多い。これは疑うべからざる事実である。日本人が初めてシナの文物に接した時、彼らは驚嘆し、出来る限りそのすべてを学ぼうとした。その間に取捨選択を加えるだけの遑《いとま》もなく力もなかった。書物によって与えられたその思想に対しても、ただその前に拝跪《はいき》する外はなかったのである。しかし日本の自然風土がシナと全く違い、人種・言語・風俗習慣も、家族制度、社会組織、政治形態も何らの共通点を持たないのみならず、地理的にも遠く隔たり相互の関係は密接ではなかったから、現実のシナおよびシナ人とはほとんど交渉をもつことがなく、独自の生活、独自の歴史を展開し、時がたつと共に独自の文化を創造してきた。

そうでありながら、知識社会の知識としては、いつの世にもシナの古典から得られる同じ思想を同じように尊び、それをすべての準則としてきた。シナの書物とシナ人の考え方とに拘束され、いつまでもそれから解放されることがなかった。しかし実際の生活に於いてはシナ思想に何らの権威も与えなかった。近来、西洋の文物に接するに至って、ようやく日本人は自分たちの生活とシナの文物、シナの思想との矛盾に気が付いた。シナ思想がこの時代になって権威を失ったのは当然である。

日本の文化は日本の民族生活の独自なる歴史的展開によって、独自に形作られたものであり、従ってシナの文化とは全く違ったものである。日本とシナとは、別々の歴史を持ち、別々の文化を持っている別々の世界であり、文化的にはこの二つを含むものとしての東洋というひとつの世界は成り立っておらず、東洋文化というものもない。日本は過去においては文化財としてシナの文物を多く取り入れたけれども、決してシナの文化に包み込まれたのではない。シナから取り入れた文物が日本の文化の発達に大なる働きをしたことは明らかであるが、一面ではまたそれを歪める力ともなった。にもかかわらず日本人は日本人としての独自の生活を発展させ、独自の文化を創造してきたのであった。

二つの論の問題点

両方読んで読者の皆さんはどのように思われたでしょうか。どちらに共感されるでしょうか。

内藤の見方と津田の見方は、一見全く相いれない考え方のように思えます。そしてどちらも甲乙つけがたいようにも思います。中には、日本文化を「東洋文化の部分的発達」とか「東洋文化の延長」等と主張する内藤の論に日本人としてのプライドを傷つけられたように感じた人もいるかもしれません。しかし内藤は一方で、「文化というものはまた、中心から末端に向かっていく運動と、それから末端から中心に向かって反動する運動」とがあり、「最近では、シナの多数の学生が日本に留学をして、日本で学んでいるということは、日本から文化的反動が今シナに向かって起こりつつある」と指摘し、だから「日本文化の起源は中国でありましても、決して日本文化が無価値というわけではない」と言っているのにも注目したいのです。これからはいわばアジアの東の辺境である新興の日本から中央たる中国に対して、文化的影響を与える可能性もあるのだと言っているのです。

前近代においては、日本はほぼ一方的に中国の文化を学び摂取してきたばかりで、中国が日本の文化を摂取したことはほとんど皆無だったと言っていいと思います。しかしこれからは、いち早く近代化に成功した日本から中国に発信していくこともできる時代なのだ、と内藤は言っているのです。この点では、内藤の見方はスケールの大きい見方だと言えるのですが、一面では日本の大陸侵略を正当化していく側面のあったことも否定できません。

一方、日本文化に実は中国文化の影響はほとんどないのだと主張する津田左右吉の見方には、中国蔑視の意識が窺い知れるような気がしてならないのも事実です。生涯東洋学を旺盛に研究した津田ですが、その著作の端々に西洋近代文明を持ち上げ、これを日本は取り入れ学ぶべきであって、古い中国的な価値観は非論理的で、これに学ぶものはないという口ぶりが見え隠れするのです（増淵龍夫『日本の近代史学史における中国と日本　津田左右吉と内藤湖南』）。

内藤と津田、どちらが正しいか

しかし、この二つの論はさすがに傑出した大学者のものだけに、通読すると、どちらも正しいように思えます。ただそう言って済ますこともできないでしょう。あえて、どちらがより正しいかを考えると、古代については私は内藤の考えが当っているように思えますし、中世あるいは近世以後については津田の見方が正しいのでは、と考えるようになってきました。

ということは、日本文明の歴史とは、古代に中国の影響を受けて生まれ、形成されたものが、長い歴史を通じて次第に独自性に目覚め、独立したものとなっていく過程と言ってよいのではないでしょうか。しかし政治、宗教、文学、芸術それぞれの分野において、独立していく速度は違ったように思えます。

言うまでもないように、米も金属器も、そしてヒトも大陸、朝鮮半島からこの列島へ渡ってきました。あり得ない想像ではありますが、もしこの列島が、大陸、半島と交通できないほど遠い、もっと東の太平洋上に浮かんでいたならば、全然違った文明になっていたに違いありません。

日本の古代と中国文化

この日本列島にクニとよばれる政治的集団が生まれるにあたっても、東アジア世界との関連を離れてはありえませんでした。『魏志』倭人伝に記される卑弥呼にしても、当時の中国――魏――に朝貢し、「親魏倭王」と刻まれた金印と、「汝の好む物」として「銅鏡百枚」を与えられました。魏の皇帝のお墨付きが卑弥呼の権威を後押しし、国内の安定をもたらしたといえます。

一方で、卑弥呼には中国の君主とは異なるところもあります。それは何といっても女性君主であるということです。中国には唐代の則天武后を除いては、女性の皇帝は一人もいません。倭国では卑弥呼の亡くなったあと、男王が立てられたといいますが、彼のもとでは国が治まらず再び戦乱が起きたため、卑弥呼の宗女で十三歳の「壱《い》与《よ》」を立てたところ、収束したというのです。この当時——三世紀——にはまだ日本では女性優位の伝統が強かったことがわかります。早くから家父長制の確立していた中国とはずいぶん異なる伝統といえるでしょう。その後、日本でも次第に男系優位が形成され、『古事記』や『日本書紀』に残される天皇の名前はほとんどが男子ですが、それでも女帝の伝統が残っていることはいうまでもありません（拙著『女帝と譲位の古代史』）。

日本の天皇と中国の皇帝

とりわけ六世紀末に即位した推古天皇を始めとして、皇極（斉明）天皇、持統天皇、元明天皇、元正天皇、孝謙（称徳）天皇と、これ以後約二百年のうちに六人、八代の女帝（女性天皇）が即位した事実は中国の皇帝とは異なる特色を表しています。それは男系ばかりでなく女系も強かった、当時の日本社会の反映でもあるのです。

奈良時代に女帝が多かったのは、天皇家の直系の男子のなかに夭折する者が多く、その間の中継ぎ的な役割を、その母親や叔母に当たる女帝たちが担ったからでもありました。といっても女帝は決して傀儡《かいらい》などではなく、皇位を譲って太上天皇となって以後は孫や甥の後見役として存在感を保ちました。

日本の天皇のもうひとつの特色である生前譲位の多さは、こういった女帝の伝統に由来します。前の君主が生前のうちに後継者を決めて、皇位を譲り渡すこの皇位継承は、中国にはほとんどないのですが、日本ではきわめて多いのです。これは皇位継承がスムーズに進む利点がある一方で、のちに院政が横行する原因ともなりました。生前譲位は当初奈良時代には女帝のみが行っていましたが、のちには男帝の間でも定着するようになります。その最初の例は、聖武天皇でした。仏教に傾倒して東大寺を建立し、盧舎那仏を造立した彼は、自らを「三宝の奴」と称し、天皇として初めて出家をし、皇位を娘の孝謙に譲ったのでした。

明治に作られた現在の皇室典範では、皇位は終身で男性に限られていましたが、このたび退位が特例法として復活したことは読者もご存知の通りです。天皇という制度は、中国の皇帝制度を模倣したところも多いですが、このように日本独特のところも、もちろんたくさんあります。しかし律令制の時代には唐の皇帝にできるだけ近づこうという志向があったのが、平安も中期になると、日本独自の君主像へと変貌していったようにみえます。ちょうどこのころは、東アジアに長く君臨した唐が衰え、滅んでいったことと大いに関係します（西嶋定生「東アジア世界の形成と展開」『邪馬台国と倭国　古代日本と東アジア』）。

「たおやめぶりの文化」と「ますらおぶりの文化」

漢字しかなかった時代から、仮名文字が生まれ、人々の好みも梅から桜へと変わっていった先に国風文化の開花がありました。平安京の大極殿（紫《し》宸殿《しんでん》）の前庭に植えられた花も、かつては「右近の橘・左近の梅」であったのが、国風文化への転換を象徴して「右近の橘・左近の桜」へと移り変わりました。こうした時代の転換を経て花開いた国風文化の精華が『源氏物語』であり『枕草子』に他なりません。女帝の時代は奈良時代とともに終焉を迎え、皇族や貴族の女性の政治的地位や権限も下り坂となります。しかしこれと入れ替わるように、宮廷に生活する女性たちの文学的才能は最高度に開花しました。世界文学史上に燦然と輝く作品が、今から約千年前、才能ある女性たちによって書かれたのです。

司馬遼太郎とドナルド・キーンの対談（『日本人と日本文化』）で、「手弱女《たおやめ》の文化」と「益荒男《ますらお》の文化」という対比が論じられています。キーンが「日本文学の最初の傑作の一つ」と評価する『土佐日記』が「男がすなる日記といふものを、女もしてみんとてするなり」として、つまり男である紀貫之が女性として書いた体裁にしたのはなぜかについてこう語ります。「やっぱり男性として、土佐守《とさのかみ》として、女々しいことを書くわけにいかない、ふさわしくないと思って、そういうフィクションを選んだと思うのです」、「彼は書きたかったら自由に全部を漢文で書くことができたはずなのに漢文では「ほんとに言いたいこと」が言えない。『土佐日記』のテーマは「自分の一番好きな子ども、小さいお嬢さんが土佐で死んだ」ことで、その悲しみをどうしても漢文では書けなかったのだろうと、キーンは想像するのです。

　これに共感した司馬は日本人の原型は「ますらおぶり」ではなく、「たおやめぶり」なんじゃないかと言いました。さらに司馬は「ほんとうに勇気のある人」は、案外「ますらおぶりの人」ではなくて、「たおやめぶりの人」ではないか、往々にして「ますらおぶりの人」が自分の意見や立場を守り抜くという点で「くるっとどこかへ転換してしまう」のに対して、「たおやめぶりの人」は頑固でむしろ「芯が強い」とも言いました。日本人は奈良時代には中国、明治初期には西洋の「ますらおの文学」を（本来身につかないものであるにもかかわらず）、一生懸命とりいれようとしていたのが、キーンは「明治も（正岡子規の時代になると、ちょっと雰囲気が変わってきた」と指摘します。

司馬　やっぱりもとの「たおやめ」に戻ろうとしていますね。

キーン　戻ってもいいという余裕ができた。

司馬　戻ってもいいという余裕――か。これはおもしろいな。

キーンの卓見に司馬はうなずいています。

本居宣長「やまとごころ」論

ここで語られている日本文学の女性性ともいうべき特性については、本居宣長がつとに指摘しています。江戸時代後期の国学者だった本居宣長は、外国と比較して日本文化の特色はどこにあるのか？　日本人だけがもっている精神とは何か、といった問題に初めて本格的に取り組んだ人と言ってもいいでしょう。

彼は、日本人が本来もっている精神を「大和《やまと》心」と呼び、これに対立する概念として「からごころ」というものを設定しました。「からごころ」とは、それまで長い間、日本の文化に大きな影響を与えてきた儒教や仏教の影響を受けた精神のことです。宣長は、人間はたとえ表面は男らしく堂々と装っていても、誠の情は、誰しも女や子どものように未練がましく愚かなものであり、それが人間の真の姿であると言います。日本人本来の精神である「やまとごころ」もそうしたものをよしとしますが、これを恥ずかしいこととして包み隠し、賢ぶった理屈を述べたり、欲望を押し隠したり、男らしく装って人間の真情を偽るのが「からごころ」だというのです。少しその言葉を引用しましょう。

> 大方、人のまことの情《こころ》といふものは、女童《おんなわらべ》の如く未練に愚かなるものなり。男らしくきっとして賢こきはまことの情にはあらず。それは上辺《うわべ》をつくろひ、飾りたるものなり。まことの心の底を探りてみれば、如何ほど賢き人もみな女童に変わることなし。それを恥じて包むと包まぬとの違ひ目ばかりなり（「紫文要領」『新潮日本古典集成　本居宣長集』）。

人間の弱さを包み隠さず露わにするところに日本の文学の良さがある、というのです。その代表が宣長にいわせると『源氏物語』でした。死を微塵も恐れぬ豪傑が活躍する中国の豪傑伝のようなものは、人間の真実を表していないというのです。いくら英雄豪傑でも戦場に立つときはすこしは怖いと思う気持ち、命を惜しむ気持ちも出てくるだろう。妻や子どものことも思うだろう。それが人間の真実の姿であり、それをそのまま描いているのが日本の文学だと宣長は言うのです。

こう書いてくるとき、私などはたとえば『平家物語』の「木曾最期」で、それまで一度も弱音を吐いたことのなかった豪傑・木曾義仲が、京を落ち延び、最期は乳兄弟の今井兼平と二騎になってしまった時に思わず、

日頃は何とも覚えぬ鎧が、今日は重うなったるぞや。

と弱音を漏らす、あの名場面を想起します。

『平家物語』の知盛の涙

また一ノ谷の戦で敵に囲まれた平知盛が、十六歳の息子・知章の必死の奮戦に救われ、兄・宗盛の乗る船に乗り込み助かりはしたが、結果的に息子を見殺しにしてしまったことを悔いる場面を思い出しもします。逃れた船に乗った知盛は宗盛に自らの不甲斐なさを嘆きます。

いかなる父なれば、子の討たれるを助けずして、かやうに遁《のが》れ参って候やらんと人の上で候はば、いかばかりもどかしう存じ候べきに、わが身の上になりぬれば、よう命は惜しいもので候ひけりと今こそ思ひ知られて候へり。

（どのような父であれば、息子が討ち取られるのを助けることもせず、こうして自分だけ

逃れてくるものだろうか。これが他人のことであれば、どれほどもどかしく思うことだろう。それがわが身の上になってみると、つくづく命は惜しいものであると、今こそ思い知ったことです。）

壇ノ浦の戦いの時に見せた最期からしても、知盛は勇敢な武将でした。その彼にしてこの行動でした。これこそ人間の真情でしょう。ただ宣長が論難している中国文学にしても、実はそれほど「ありのままの情をば隠して」繕ったものばかりではないことを、のちに中国学の碩学・吉川幸次郎が指摘しています（『文弱の価値』）。

私として付言し得ることは、宣長が価値とする「めめしさ」は、漢語としては「文弱」であり、「みれん」は「優柔不断」であると、むろんいろんな付帯条件を捨象して、いえるとするならば、それらは中国においても、宣長がいうほど反価値ではない。

宣長は、

歌・物語は、その善悪・邪正・賢愚をば選ばず、ただ自然と思ふところの実《まこと》の情を細かに書き表して、人の情はかくのごときものぞ、といふことを見せたるものなり。それを見て人の実の情を知るを、「物の哀れを知る」といふなり（「紫文要領」）。

と言いました。このことは全くその通りであり、そこに日本文学のよさもあるのですが、自国の文学を称揚するあまりに、中国文学や仏教など外国の文学や思想を誹謗した点、自国の文化だけを素晴らしいとし、他国の文化を低く見る、視野の狭い考え方につながっていった点は容認できません。そこはのちの歴史観に禍根を与えました。

宣長の現実肯定主義

また彼の歴史観は、古い日本、外国の文化を受け入れる前の日本固有の文化を賞賛しながらも、今の世の中を昔の世に戻そうというまでの意志はなく、その後の世の中の変化をすべて追認し、肯定していく面がありました。世の移り変わりはすべて善き神、悪き神の為すところであり、そうなっていったのも理由のあることであるというのです。

外国の教えなどが入る前の理想的な時代から、「西戎《から》の悪風俗をまじへ用ひらるる時代」に至り、「次第に治めにくく」なってしまったけれども、それもまた「皆、神の御所為《しわざ》」であるから、そのなかに「よろしからぬ事のあればとても、俄《にわか》に改め直すことの成り難き筋も多し」。「古《いにしえ》の道に拠る」のがいいといって、よろずを「強いて上古の如くに、これを立て直さんとする」のは、「神のおはからひ」に逆らうことになる。今では中国の思想や制度、また仏教をずいぶん取り入れ、政治も天皇、公卿の手から武家の手に移って久しいが、これをあえて元に戻そう、理想の世たる古《いにしえ》に戻そうと図るのは、神の意志に反するのだというのです（『玉くしげ』）。

「今の世の国政は今の世の模様に従ひて、今の世の御掟にそむかず、有り来たりたるままの形を崩さず、跡を守りて執り行ひたまふが、即ちまことの道の趣」であるというのです。宣長の中には中国思想や仏教を排斥する意志も、武家政治から天皇親政に戻そうという意志もありません。すべて現状追認・現状肯定なのです。この辺りは幕末の尊王攘夷や倒幕思想とは明らかに異なります。現状を変革していこうという積極性は見られないところに宣長の限界があるのかもしれません。そのあたりの現実主義的いや現状追認的な性格は、宣長だけに限らず現在に至るまで私どもの中にある特徴といえるようにも思います。

日本人の現状追認的傾向

ひたすら現状を受け容れ、追認し、それに順応していこうという志向性が、日本人の特性であるといわれることがよくあります（中村元『日本人の思惟方法』）。どこまでも続く時代の移り変わりを受動的に受け容れていく日本人の「民族性」――それを丸山眞男は古典の言葉を借りて「つぎつぎになりゆくいきほひ」と名づけました（「歴史意識の『古層』」)。「儒・仏・老荘など大陸渡来の諸観念」、「また維新以降の西欧世界からの輸入思想」が「歴史的思考の主旋律」として各時代の前面に現われてはいたけれども、しかし実際には「つぎつぎになりゆくいきほひ」が、各時代に「摂取された諸観念に微妙な修飾を与え、ときには、ほとんどわれわれの意識をこえて、旋律全体のひびきを『日本的』に変容させてしまう。そこに執拗低音としての役割があった」というのです。

津田左右吉が、日本人は一生懸命中国の文化を学び摂取しようとしたけれども、結局は身につかなかった——彼はそれでよかったと言っているのですが——と言っていることとも通じるところがあるようにも思います。司馬とキーンとの対談では、江戸時代くらいから今日にいたる日本人のモラルのもとにあるのは儒教だというキーンと、儒教の影響は「一般にはほとんど受けていない」という司馬との間でちょっとした論争になっています。

司馬は、

> 日本に何があるか、日本という島国があるだけだ。日本というお皿のようなものがあるだけだ。上に乗っかるものはいろいろあるというところが、日本というものの面白いところじゃないかとむしろ思うんですよ。

と言います。「仏教も日本人の心をかすめて行っただけだという考え方なんです」と明言しています。そこのところは儒教や仏教の影響も十分あったと考えるキーンとは明らかに違っていました。

高島俊男『漢字と日本人』

そもそも中国語と日本語は文法も何もかも全く系統の異なる言語であり、にもかかわらず独自に文字を作り出す前に漢字というものに触れ、漢字で日本語を書き表そうとしたところに——つまり歴史の始まりから——日本の文化と中国の文化には矛盾した関係がありました。

中国文学者の高島俊男は名著『漢字と日本人』で日本語と漢字の関係は腐れ縁である、と言いました。漢字の読み方には音と訓があり、我々は普段意識せずに読んでいますが、音とはもとはその漢字の中国語の読みに由来する読み方のこと、訓とはこれをいわゆるやまとことば（元々の日本語）に翻訳した読み方のことです。たとえば私の名前の、

水谷千秋

の「水」は音は「すい」。これは中国語の「シュイ（ｓｈｕｉ）」に由来します。「水」すなわち元素記号H_2O、英語では「ｗａｔｅｒ」と呼ばれている物質を中国人は昔から

「シュイ」と呼び、これに「水」という漢字を当ててきたわけです。そして日本人は同じものを古来（おそらく縄文時代あるいはそれ以前から）「みず」と呼んできました。六〜七世紀に漢字というものが日本に本格的に受容されたときに、漢字の「水」が、古来日本では「みず」と呼んでいるものと同じだと知って、日本では「水」に「すい」という読みに加えて、「みず」という読み方を与えたわけです。「谷」という漢字の音は「こく」ですが、中国語では「くう（ｇｕ）」で、中国語のこの発音が日本人には「こく」と聞こえたわけです。そしてこの「谷」と呼ばれる地形が日本のやまとことばで「たに」と呼ばれている地形と同じだと知って、これに「たに」という訓読みを加えたわけです。

　こういった膨大な作業を古代の誰がしたのか、それはわかりません。膨大な数の漢字から、その意味を日本語に翻訳し、本来の漢字の発音とは異なる日本独特の読みを創造していったわけです。この作業はまことに骨の折れる、しかし日本の文化の発展にこのうえない貢献を果たした作業といえるでしょう。

『古事記』をどう読むか

　でも音にも訓にもそれぞれ一長一短があります。『古事記』序文に既に太安万侶《おおのやすまろ》がこの

ことで表記に悩んだことを綴っています。実際、たとえば『古事記』冒頭の文章、

天地初発之時、於高天原成神名、天之御中主神。

このうちの最初の五文字をどう読むのか。「あめつちのはじめのとき」と読むのが本居宣長『古事記伝』です。しかし私の手元にある日本古典文学大系本（倉野憲司校注）では「あめつち初めて発《ひら》けし時」としていますし、日本思想大系本（小林芳規訓読文）では「あめつち初めて発《おこ》りし時」と読ませています。どの読み方でも意味にほとんど差はないのですが、実際に声に出して読むときどう読むのが正解なのか、編者の太安万侶はどう読んでもらうことを期待していたのか、今となってはよくわかりません。

一方で次の段落にこんな文章があります。

久羅下那州多陀用弊流之時〔流字以上十字以音〕

ここはどう読むのか。注に流の字以上の十字は音で以て読む、とあります。「流」より上の十字、つまり「久」から「流」までの漢字は全部「音」で読め、と言っているのです。つまりこれは、

久《く》羅《ら》下《げ》那《な》州《す》多《た》陀《だ》用《よ》弊《へ》流《る》之時

と読むのです。こういった一字一音式の表記を万葉仮名といいます。これは先の「天地

初発之時」と対照的にどう読むのか明らかで、迷うことはほとんどない利点があります。そしてのちの仮名文字のルーツでもあります。しかし難点は長ったらしいことと、却って読みにくいことです。

天地初発之時

だとパッと字面を見て漢語でおおよそのイメージが浮かんでくるのに対して、「久羅下」とか「多陀用弊流」とかでは、すぐにはイメージが摑みにくいでしょう。

日本人にとって漢字とは

『古事記』を綴っていく上でこうした表記上の問題に悩まされたことを太安万侶は告白しています。漢字だけで日本語を表記することの困難さは、かな文字が発明されて随分ましにはなりましたが、それでも解消される日はないでしょう。日本文化は漢字からできるだけ距離を置くべきであると考えた津田左右吉は、戦後なるべく漢字を使わずひらがなやカタカナを用いようと呼びかけ、自身もそうした表記に努めました。これは首尾一貫した行動でありました。しかしどうしても、日本文化は漢字と縁を切るわけにはいきません。いつまでも漢字とひらがな、カタカナなどを併用していかないといけないのです。わかりや

すい例では、漢字の

秦
清
新

は、日本語の音はみな「シン」です。秦の始皇帝の「秦」も、前漢王朝の外戚だった王《おう》莽《もう》が王朝交代によって即位し樹立した「新」も、十七世紀に明に代わって建てられた満州族の王朝「清」もみな「シン」です。ですから口頭で「シン」王朝と言っても、どの「シン」なのかわかりません。しかし日本人には聞き分けにくくとも、中国語の発音ではみな違いがあって聞き分けることができるのです。

日本語に同音異義語が無数にあるのも、このことに起因します。「講演」「公園」「公演」「後援」「好演」「高遠」……。耳で聴いただけでは、どの「こうえん」かわからない。字で書いて初めて正しく理解できるようなところがあります。

日本から漢字を無くしたら、カタカナやひらがなだけにしたら、あるいはローマ字表記にしたら、もっと使いやすいのに、といった意見が明治以降しばしば沸き上がることがありましたが、そういうわけにはいかないことは、このことからも明らかでしょう。日本語にとって漢字とは使いにくさもあるのですが、つきあっていかないといけない。それを「腐れ縁」と高島は言ったのでした。そしてこのことが日本文化と中国文化の関係を集約しているようにも思います。

「帝国」と「亜周辺」と「周辺」と

　前章で詳しく取り上げた柄谷行人は、日本を中国という「帝国」の「亜周辺」として位置づけました（『世界史の構造』『帝国の構造』）。「周辺」であった朝鮮とベトナムが「帝国」の冊封を受け、中心の文化や制度を全面的に受け入れたのに対して、海を隔てて中国とより離れたところにある日本は「受け入れが選択的」であった——「中国の制度を受け入れつつ、事実上換骨奪胎し、しかも、廃棄することはせず、自分らに必要な限りで維持する」というやり方でやってきたと柄谷は指摘します。具体的には隋唐の律令制度を導入しながらも、科挙に基づく官僚制や宦官、道教の組織的受容などは意図的に導入しなかった事実です。

　日本が「帝国」にはならず、帝国の「亜周辺」という性格を保ち続けたことによって、交換様式Ｂは強くならず、交換様式Ａが残存しました。鎌倉時代の武家の主従関係が互酬的な、つまり交換様式A的な関係だったのはそのためであり、この点はヨーロッパの封建制の領主と騎士の主従関係と類似します。のちに商業活動がさかんになり、交換様式Cが有力化するようになると、日本でもヨーロッパと同じように、自由な商業活動が許される都市が勃興するのです。これが堺や博多の自治都市であったり、身分制を超克する加賀や三河の一向一揆でした。日本の商人がルソンや東南アジアに雄飛し、活動したのも思い出されます。

先にとりあげた松田壽男の「アジア史論」でも、十五世紀のインド航路の開拓（大航海時代）以来、東南アジア（海洋世界＝香主の国）が東アジア農耕世界（中国・人主の国）と南アジア農耕世界（インド・象主の国）とを結ぶ交易の拠点となり、ポルトガルやスペインなどが進出して、アジアへ乗り出すようになることを指摘しました。堺や博多の商人もここに参画していたのでした。

そうした流れを徹底的に潰し、中央集権的な政権を創ったのが織田信長や豊臣秀吉でありました。こうして出来上がった信長・秀吉の政権は、西洋の絶対王政に近かったと柄谷も認めています。交換様式Bが伸びつつあったCを抑えたのでした。江戸幕府二百六十年間は、「十六世紀に開かれた世界市場（交換様式C）の浸透を抑えようと懸命に努めたが、結局それができなかった」時代だったと柄谷は言います。そして明治維新後の急速な「産業資本主義的発展」は「明治時代に始まったものというより、十六世紀に存在し、徳川時代に抑えられてきたものが、その足枷《あしかせ》を外された結果」だというのです。

大いなる江戸時代

梅棹忠夫は、第一地域――西ヨーロッパと日本――には共通して封建制があり、宗教改革のような現象、中世における庶民宗教の確立、市民というものの出現、ギルドの形成、自由都市群の発展、海外貿易、農民戦争――これらを「みんな、日本にも西ヨーロッパにもあった」、「平行現象」だと指摘しました。その平行性の謎が、柄谷の交換様式論によってずいぶん明らかになってきたように思います。

日本の歴史において明治維新ほどの転換期はないでしょう。なぜ日本は、近代化――西洋近代文明の導入――に成功したのか。そこにはその前提としての江戸時代があったからであり、なかでもこの二百六十年の平和があったことは見逃してはならないでしょう。この江戸の平和があったればこそ、江戸の文化――儒学・国学・蘭学、文学・演劇・美術――の開花があったのです。このことは、たとえば杉田玄白が『蘭学事始』の末尾に、なぜ自分が生きている五十年ほどの短期間に蘭学、とくにオランダ医学がこれほどまで日本に広まったのかについて、このように述懐しているのを思い起こさせます。

伏して考ふるに、その実は忝《かたじけな》く太平の余化より出でしところなり。世に篤好厚志の人ありとも、いづくんぞ戦乱干戈《かんか》の間にしてこれを創建し、この盛挙に及ぶの暇《いとま》あらんや。

（考えてみると、その実体はありがたいことに太平の世のおかげで生まれたものである。世の中に蘭学を好む志の厚い人がどれだけいたとしても、戦乱・殺戮の続く時代にどうしてこれを創建し、これだけ盛り上がるだけの成果をあげる余裕があるだろうか。）

そう言って彼は東照大権現（徳川家康）の「天下太平に一統し給ひし御恩沢」に感謝するのです。

江戸時代については近年再評価する見方がある一方で、美化しすぎだという批判もあります。それでもやっぱり江戸の長い平和が成熟した文化を生み出し、その江戸の文化が明治になって怒濤のように迫ってきた西洋文明と対峙し、向き合うだけの中身を持った存在だったことが、長期的に見て明治以降の発展につながったのだと確信します（辻達也『江戸時代を考える』）。

そう考えると、長い戦乱の時代に終止符を打った――交換様式Bをあらためて確立した――信長・秀吉・家康の功績もまた思い出されるのです。考えてみれば鎌倉幕府成立の後も、室町幕府成立の後も世の安定は長くは続かず、しばらくしてすぐまた戦乱が始まったことを想起すると、江戸幕府の長い安定は驚異的であり、奇跡的ですらあります。

あらためて考えてみると、内藤のように日本文化を「東洋文化の部分的発達」とか「東洋文化の延長」と捉える見方は、柄谷の「帝国―周辺―亜周辺論」でいうと、日本を中国文明の「周辺」と捉える見方に分類できるのではないでしょうか。

一方、日本と中国の文化の隔たりを重視する津田の見方は、柄谷がいうところの日本を中国の「亜周辺」と見る見方に分類できるでしょう。ただ津田と柄谷とで異なるのは、津田は日本は中国文明を取捨選択して受容するだけの余裕もなく力もなかったが、気が付いたら中国文化とは全く別のものになっていたとするのに対し、柄谷は、日本は中国の制度を学びながらも自分たちに必要なものを「選択」して受け入れていたのだとする点です。

たしかに日本が意識して受け入れなかった中国文化もあります。中国でさかんだった道教の経典、組織的な道教教団、孟子、それに宦官の制度など。易姓革命――王朝の交代――もそのなかに入るでしょう。一方で懸命に学んでいたつもりが、いつの間にか日本に馴染まなくなった文化もあるでしょう。これらの詳しい分析は今後の課題として残されています。

第六章　東洋哲学の可能性――「無」と「空」と親鸞

井筒俊彦の構想した「東洋哲学」

序章で立花隆と司馬遼太郎が宇宙飛行士の体験を止揚するところから新たな宗教・哲学の誕生を語り合ったこと、井筒俊彦もまたあらたな総合的な東洋哲学を構想していたことに触れました。彼らが思い描いていたのは、これまでの東西の諸宗教・思想の違いや対立を超え、これらを包含する普遍的な哲学・宗教でした。

彼らの思索から今、三十年近くが経過し、二十一世紀も四半世紀に達しようという段階に至りましたが、いまだそうした機運が世界に熟してきているように見えないのは残念です。それでもこの数十年、東洋の精神世界や芸術が、東洋以外の欧米やアフリカなど多くの世界の人々に理解されかけていることは確かではないでしょうか。

本書も後半に入ったところで、あらためて井筒俊彦の構想した東洋哲学の総合に向き合ってみたいと思います。晩年の彼が目指していたのは、「東洋哲学全般を見渡すような哲学をつくりたい」ということでした。その東洋とは、イスラム、インド、中国、日本、そしてギリシアも含む地域のことでした。これらの地域に共通する、言語の違いを超えた普遍的な哲学をつくることが彼の目標でした。そのためにまず、これらの思想の伝統を「時間軸から外し」、「範型論的（パラディグマティク）に組み変える」ことによって、「東洋人の哲学的思惟を深層的に規制する根源的なパターン」を探り当てようと試みたのです（『意識と本質』）。

東洋的なるもの

別のところで彼はこう言っています（『意味の深みへ』）。「自己とは何か」、自己の探求を行うにあたって、東洋では「真の自己を自分の実存の深みにまで主体的に追求していき、それを自ら生きるということ」、これが「東洋的なるもの」の「現成」だといいます。簡単にいえば、「自分自身の内面の深層をどこまでも追求することによって、存在の深層を底の底まで究明しようとすること」に「東洋哲学の大きな特徴がある」といいます。

もう少し詳しく説明してみましょう。

インドのヨーガ、大乗仏教の止観、禅仏教の座禅、老荘思想の坐忘、宋代儒教の静坐、イスラムの唱名（ジクル）、あまり知られていないものも多いですが、いずれも東洋風の瞑想です。目を閉じ集中して心を静め、無心になることといった点では皆おおよそ共通するでしょう。これらは、いずれも「意識の深層領域にひそむ特異な認識能力を解放し、そこに『自己』の真相を探ろうとするところに特徴」があると井筒は指摘します。こうした体験によって自らの「表層的な『自我』から深層的な『自己』への転換」を行い、ひいては「自己を作り替える」体験をするのだと言いました（『意味の深みへ』）。

このうちたとえば禅の修行とはどういうものか。禅と浄土教の双方を修めた藤吉慈海は、座禅をしているときの心持をこのように表現しています。

> 坐禅をしている時の自己は、はじめ精神的にも身体的にも動揺しているが、身体的に坐が決まると、精神的にも落ち着いてきて、雑念妄想は次第に消えて了々たる自覚体となる。そこでは自己の身体と外界を区別する意識が薄れて、身体がなくなったように感じられる。（中略）自他の差別がなくなると、内外の区別もなくなり、身体的にも精神的にも天地と一体となったような無我無心の境地に到達する。そこにははっきりした意識のみが存在するとも言えよう（『禅と浄土教』）。

東洋と西洋の「無」の捉え方の差

こうした「観想体験」の最終段階に至ると、そこに「無」の領域があると言います。この無の捉え方が、東洋と西洋では伝統的に異なるのです。井筒の言葉を引用しましょう（『意味の深みへ』）。

> 「無」を、西洋人はまったく否定的・消極的な意味での存在否定、つまり虚無と解する。十九世紀、はじめて大乗仏教の「空」「無」の思想に触れた西洋の哲学者たちは、仏教をニヒリズムとして理解した。そして「無」の恐怖は、時として「無」に対する憎悪となり怨恨となった。

しかし東洋の「無」は単なる虚無ではありません。また「死」への恐れでもありません。井筒は言います。

> 「無」を虚無と同定し、それをまた実存的に死と同定するこのような西洋的思想的傾向に対立して、「無」（あるいは「空」）を「有」の原点とし、生の始源とする考え方が、東洋の思想的伝統では重要な位置を占める。この考え方を、古来東洋の哲人たちは、ヨーガ的冥想体験を通じて開発し、それを宗教的に、哲学的に、あらゆる思想の分野で展開してきた。

ここに西洋とは異なる東洋思想の特色を井筒は見てとったのでした。この「無」とは、意識と存在の分節以前、つまり「コトバ以前」という意味での「生の始原」なのです。

「有」から「無」、「無」から「有」へ

実際にこうした「無」の体験をした人の内面はどう変化していくのか。井筒は、青原惟信という禅僧が修行していく過程で生じた心の変化を取り上げました（『意識と本質』）。

> 老僧が三十年前、まだ禅の修行を始める前は、山を見てもそれは山であり、水を見てもそれは水であった。その後、すぐれた師にめぐり逢い、その指導の下に修行して、いささか悟るところあって、山を見ると、山は山ではない、水を見てもそれは水ではなかった。しかしいよいよ悟りが深まり、安心の境地に落ち着くことのできた今では、また前と同じく、山を見るとそれはただ山であり、水を見るとただそれは水である。

彼の内面世界は三段階に変化し、これに伴ってモノの見え方も三段階に変わったというのです。

分節Iの段階は、修行以前の目に見えていた「山は山であり、川は川である」という「普通の人の普通の目で、自己の外なる世界を眺めている」、「世界は有『本質』的にきっぱり分節されている」世界です。山が山に見えている、つまり山が山の本質をちゃんと備えている、真っ当といえば真っ当な見え方です。

それが修行を始めてある程度の悟りの目を開いていくと「世界が一挙に変貌する」。「山

が山でなく、川が川でなくなってしまう」、「そんな山や川を客体として自分の外に見る主体、我もそこにはない。すべてが無『本質』、したがって無分節、もっと簡単にいえば、『無』なのである」。これが分節Ⅱの段階です。ここでは山が山に見えなくなる——今までのノーマルな見え方ではもはやない、山が山の本質を失っているわけです。

第三段階は、再び「有」の世界です。第二段階でいったん無化された事物がまた有化されて現われてくる。「第一段階の世界と一見少しも違わぬ事物の世界が目の前に拡がる」。しかし「分節は戻ってくるが、『本質』は戻ってこない」。一たび「無」を体験したひとにとっては、同じ山や川でもかつて見た山や川とは決定的に違うのです。

井筒の解説によれば、仏教では各々の事物に備わる「本質」は仮構であり虚構であって、真に実在するものではないといいます。我々の感覚において山が山に見え、川が川に見え、それぞれを区別している分節Ⅰの世界は表層の意識にすぎず、それは「妄念」による「事物の分節」なのだというのです。

「空」の世界

我々の感じることのできる世界のすべてが「本来、無『本質』」なのだということを大乗仏教では「空」とよびます。仏教で「本質」に該当する語は「自性」であって、「自性」など存在しないという意味で、仏教では「無自性」を説きます。そしてこの「無自性」は「空」と同じ意味なのです（長尾雅人『仏教の源流――インド』、中村元・三枝《さいぐさ》充悳《みつよし》『バウッダ』、横超慧《え》日《にち》『仏教とは何か』）。

それ自体で独立して存在するもの（自性）などない（無自性）。『大智度論』にはこのようにあります。

> あらゆるモノは我が所（我が物）を離れたるがゆえに、空なり。あらゆるモノは因縁によって和合して生じたるがゆえに空なり。無常・苦・空・無我なるがゆえに名付けて空となす（中村元『龍樹』）。

大乗仏教を大成したインドの僧・龍樹は、その著書『中論』でこう述べているのです。

> 他のものであることに依存して生ずるものは、無我であるということが成り立つ（中村元『龍樹』）。

あらゆるモノは他との関係性において相互依存のうちに存在している、というのが縁起説でした。そのことを別の言い方で表現したのが空であり、無我なのです。

一般には「無我」というと、「無我の境地」などといった言葉があり、瞑想に耽ったり、頭の中を空っぽにしたりして自分を無にするといった意味合いで理解される向きがあるでしょう。しかし本来の無我というのはそうではないのです。「我」とはもともと「それのみで存在しているもの」といった意味であり、そのようなもの（我）は存在しないという大乗仏教の思想のことなのです。これが無我なのであり、ですからその意味は縁起や空とも同じと言えるのです。

「色即是空、空即是色」

般若心経に記される有名な言葉、「色即是《しきそくぜ》空《くう》、空即是《くうそくぜ》色《しき》」。この「空」も「縁起」や「無常」や「無我」に通ずる意味を持ちます。中村元・長尾雅人といった仏教学の碩学の解説によればこうです。

「色」とは「物質として存在する形あるもの」を指しますが、「色即是空」はそれがすべて「空」である――それ自体で独立して存在するものではない、すべては仮構であり虚構であって、真に実在するものではないという意味です。これを自覚した境地が、先ほどの例で言うと、分節Ⅱ「山が山ではない、川が川ではない」世界に相当します。

続く「空即是色」では、分節Ⅲ――再び「山が山に、川が川に見える」「有」の世界に戻ります。しかしそれは、かつて見た山や川とは「見え方」が決定的に違うのです。それは、我々の目に見え、感じられている世界は幻に過ぎないということを自覚したうえでの現実世界なのです。

それにしても、各々の事物に備わる「本質」は真に実在するものではない――我々の感覚において山が山に見え、川が川に見え、それぞれを区別している分節Iの世界は表層の意識にすぎず、それは「妄念」による「事物の分節」なのだ――という仏教の世界観は、荘子の世界観とも通ずるところが多いように思われます（森三樹三郎『「無」の思想』『老荘と仏教』）。

たとえば、それは『荘子』に表現されているこういう世界観のことです。

> 古の人、その知に至る所有り。いずくにか至る。以て未だ始めより物有らずと為すものあり。至れり尽くせり、加うべからず。その次は以て物有りと為す、しかも未だ始めより封《ほう》（界）あらざるなり。その次は以て封有りと為す、しかも未だ始めより是非あらざるなり。

「未だ始めより物有らず」、つまり世の中にあるものすべては存在しない、すべては幻のようなものだという認識が最高の境地。次は、世界にさまざまな物体が存在していることは認めるが、「封（界）あらざる」、そこに輪郭や境界線のようなものなど存在しないという認識。その次が、輪郭の存在は認めるが、そこに「是非あらざる」、価値の差異など存在しないとする考え方です。

この言葉についての井筒の解説を引用しましょう。

存在の真相は「渾敦《カオス》」（渾沌）だ、と荘子は主張する。外側は様々に分割されているが、本当は、どこにも割れ目のない一枚板のようなもの。表に見える複雑な区劃《くかく》は、みんな見せかけにすぎない。その見せかけの区劃の線をコトバが引く。一枚板の表面に、語の数だけ区劃ができ、それを人はものと呼ぶ。そして語の意味が、ものの本質と間違えられる。コトバが、本性上、恒常的であるように（と普通の人は考える）、コトバの意味の指示する「本質」もまた恒常的。こうして、不変不動の「本質」によって固定されたものができ上がる。

ところが、と荘子は言うのだ、実は言葉に恒常性などありはしない。だからものと呼ばれる存在区劃にも恒常性はない。（中略）（いったい、存在真相には境界線などまったくないし、言葉には、元来、意味の恒常性など全然ない）と。だが、常識的人間はそのことを知らない。言語的意味によって、「渾敦」の表面に引かれた意味の区劃線を、実在する存在的区劃線だと思いこみ、恒常的な「本質」によって固定されたものの実在をそこに幻想する。本当はすべて存在の夢なのだ（『意識と本質』）。

荘子が説く「無」と大乗仏教が説く「空」。仏教が中国に伝来し、受容されていく過程で、大乗仏教の真髄ともいえる〈空〉の概念は、中国固有の老荘思想の説く〈無〉の概念と関わらせて理解されてきました。そのため、理解しにくいはずの外来の〈空〉が中国人にも比較的理解しやすく受け入れられたのでした。これを「格義仏教」と呼んでいます。

浄土教の念仏の教え

次に親鸞の思想をとりあげたいと思います。親鸞の思想は多くの近代人を魅了し、その生き方に影響を与えてきました。戦後に限っても野間宏、吉本隆明、五木寛之などが、親鸞に魅せられた人たちでした。司馬遼太郎もそのひとりです。

司馬は二十歳で従軍したときに死について考えておこうと思い、はじめて『歎異抄』を読んだそうですが、黙読したときは「つまらない」としか思えなかったのが、次に音読してみて最初のイメージが一変したといいます。「行と行のあいだの沈黙のことばがひびきとして伝わって」きたというのです（司馬遼太郎「日本仏教小論」『以下、無用のことながら』）。親鸞こそ司馬が人生において最も心惹かれた宗教家と言っていいでしょう。

親鸞は、平安時代の末、ちょうど平家の全盛期に生まれました。藤原氏の傍流、日野家という中下級公家の出身と言われています。青年期に比叡山延暦寺で修行しましたが、山を降りて法然のもとへ赴き、心酔してその弟子となりました。

法然が説いた浄土教の教えは、念仏を唱えることによって阿弥陀仏に極楽浄土に連れて行ってもらおうという主旨のものですが、その淵源は中国の曇鸞、道綽《どうしゃく》、善導といった僧侶らの教えにあります。彼らは、念仏を唱えれば救われる、他の修行は必要ないというまさに易行《いぎょう》（簡単な修行）を説きました。

『勅修御伝』巻三十四には、播磨国高砂の浦で、七十歳余りと六十歳余りの老夫婦が、法然と出会い、「私たちはこの浦の海人《あま》です。幼きころよりたくさんの魚を取ることを生業としてきました」と告白したとあります。「生き物の命を殺す者は地獄に落ちて耐え難い苦しみに遭うと聞いております。如何にしてこれを免かれることができるでしょうか。お助けください」と手を合わせ泣いたといいます（鈴木大拙『日本的霊性』）。

これに対し法然は、念仏を唱えれば極楽浄土に往生できることを説きました。

汝の如くなる者も、南無阿弥陀仏と唱えれば、仏の悲願に乗じて浄土に往生すべき旨、ねんごろに教え給ひければ、二人共に涙にむせびつつ喜びけり。

法然は『選択本願念仏集』のなかで言います。自らの財産で仏像を造ったり、仏塔を立てたりすることで、仏の本願が果たされると考えるならば、貧窮困乏《びんぐうこんぼう》の人たちは極楽往生できないことになってしまう。しかも世間には富貴の人は少なく、貧しい人たちのほうがずっと多い。同じく智慧があり、学才のある人だけが救われるのであれば、愚鈍で智慧の乏しい多くの人々は救われない。だからこそ「造像起塔等の諸行」ではなく、「称名念仏の一行」を仏の本願とされたのだ、というのです。ではここにみえる仏の本願とは何なのでしょうか。念仏さえ唱えたら、どんな悪人でも阿弥陀仏に救ってもらえるという、この有難い教えは、「大無量寿経」というお経に記されています。そこにはこんな物語があるのです。

阿弥陀如来の本願

阿弥陀如来は、もとは法蔵菩薩という御名であったといいます。悟りを得るため、すなわち仏（＝覚者）になるため志を立て、長い間修行に励み、思索にふけったといいます。そして衆生（すべての人間）を救うために、四十八の願いを立て、この四十八の本願（誓願）が満たされないならば、私は「正覚《しょうがく》を取らじ」（仏には成らない・悟りを得ない）と誓ったのでした。そして今、既にこの四十八の誓願は叶えられ、法蔵菩薩は阿弥陀如来として西方の世界におられる、といいます。この四十八の誓願を本願というのです。四十八願のうち最も重視されたのが、十八願です。

説《たと》い、我れ仏となるを得んとき、十方の衆生、至心に信楽《しんぎょう》して、我が国に生まれんと欲して、乃至《ないし》十念せんに、もし生まれずば、正覚を取らじ。

（たとえ私が仏になることができるとしても、すべての衆生が真心から信心し、念仏の名を十回唱えたにもかかわらず、極楽往生できないのであれば、私は正覚を得ようとは思わない。）（中村元・早島鏡正・紀野一義訳註『浄土三部経　上　無量寿経』）

衆生の中に私を心に念じて十回唱えたにもかかわらず、極楽往生できない者がいたならば、私は長い修行が実って悟りを得ることができたとしても、それを拒否する。救われるべき人が一人でも救われないならば、その人を見捨てて私一人が先に救われたいとは思わない、と誓ったのでした。阿弥陀仏は自分が悟りを得ることよりも、一切衆生を救うことを選んだのです。

法然はこの十八願を、四十八願の中でも「本願の中の王」と称《たた》えました。この誓いに頼って念仏だけ修めれば、どのような悪を犯した者も極楽へ行ける、他の修行は必要ないと説いたのです。

戦乱の時代と念仏の救い

今から約八百年前、なぜこのような教えが広まったのでしょうか。長く続いた王朝文化の時代が終焉を迎え、新しく武士が台頭する時代へと変化したのがこの時代でした。それは戦さの時代であり、力の時代の始まりでもありました。

> 祇園精舎の鐘の声、諸行無常の響あり。娑羅双樹の花の色、盛者必衰のことわりをあらはす。奢《おご》れる人も久しからず、唯春の夜の夢のごとし。

で始まる『平家物語』は、まさにこの激動の時代を描いた滅びの文学です。平安時代末期から鎌倉時代初期の相次ぐ戦乱・飢饉・疫病や大火・地震は、人々に明日をも知れぬ命を自覚させせました。戦乱の時代に、心ならずも人を殺してしまう人間の業が、人々の心を苦しめました。こうした人間の苦悩から、『平家物語』が、法然・親鸞の仏教が生まれたのです。

平重衡の苦悩を救った法然

実際に『平家物語』には、自らの犯した罪業に苦悩する平家の公達・平重衡《しげひら》が、救いを求めて法然と会う場面が描かれています。重衡は、源氏との合戦の最中で、部下が東大寺に火をつけ全焼させてしまったことに苦悩しますが、その後の一ノ谷の戦いで捕虜となります。死を覚悟した彼は、前に一度会ったことのある法然にもう一度会うことを希望し、それが叶えられたのでした。そこで彼は平時から自分は仕事に紛れ、政務にほだされ、「驕慢の心のみ深」うして、平家都落ちのあとはあちこちと転戦し、「人を亡ぼし身を助からむと思ふ悪心のみ遮《さえぎ》って、善心は曾《かつ》て発《おこ》らず」。まして「南都炎上」「伽藍滅亡」に至らしめたことは「大将軍」であった「重衡一人の罪業」であり、「罪業は須弥より高く善業は微塵ばかりも蓄へなし」。命終えたのちは地獄の責め苦が待っていると覚悟していたと言います。これに法然は、

> 罪深ければとて卑下し給ふべからず。十悪五逆廻《え》心《しん》すれば往生を遂ぐ。功徳少なければとて望みを絶つべからず。一念十念の心を致せば来迎《らいごう》す。

と説くのです。この言葉に重衡は救われたのでした。心ならずも多くの人を死に至らしめ、罪業を積んでしまうようなこともあった時代に、彼の教えは人々の心を救いました。

「ひとへに親鸞一人がためなりけり」

親鸞は二十九歳の時、京都の六角堂に九十五日籠《こも》って修行し、そのうえで法然のもとを訪れ、その弟子となることを決めました。

『歎異抄』第十八章に、親鸞の言葉として以下のくだりがあります。

> 弥陀の五劫思惟の願をよくよく案ずれば、ひとへに親鸞一人がためなりけり、さればそくばくの業をもちける身にてありけるを、助けんとおぼしめしたちける本願のかたじけなさよ。
>
> (阿弥陀仏が五劫という信じられないほど長い間考え抜いてこられたこの本願は、よくよく考えてみればひとえにこの親鸞一人を救うためのものであったのだ。私のような多くの業を積んできた者を救ってやろうと思い立たれた本願の有り難さよ。)

親鸞は自分を悪人であると自覚していました。そのような自分を救うためにこそ、阿弥陀仏は念仏さえ唱えれば誰でも極楽往生できるように、という本願を立てて下さったのだ、という確信を持ったのでした。

この言葉が記されている『歎異抄』という短い書物は、親鸞の弟子・唯円が師の歿後にその教えが間違って伝えられているのを嘆き、自分が直接師から聞いた正しい教えをまとめようとして書かれたものです。親鸞の子孫の蓮如が長らく私有し、その存在も知られていなかったのですが、明治以後明らかになり、多くの人に読まれるようになりました。

『歎異抄』の第一章は、私たちが阿弥陀様にすがって念仏を申そうと思い立った時、もうすでに阿弥陀様の救いにあずかっているのだ、という親鸞の言葉から始まります。それは一見、私たちが自分の意志で、信仰を得たように思えるけれども実はそうではなく、阿弥陀様の本願によって救われているのだから、というのです。

建永の法難

念仏以外の修行は必要ないと説いた法然や親鸞の教えは、当時主流であった延暦寺や興福寺や園城寺などの僧侶たちにとっては、言語道断の教えでした。折も折、朝廷でも法然一派に反感を抱かせる事件が起こり、法然らは弾圧を受けることになりました（建永の法難）。当時の後鳥羽天皇が熊野参詣のための留守中に、女官たちが法然の教えに共感して出家したのを恨んで、密通を疑ったというのです。

そのため法然の弟子四人が死罪、法然含む八人が流罪。法然は土佐に、親鸞は越後に流罪となりました。法然はその五年後に亡くなりました。八十歳でした。三十五歳の親鸞は還俗させられ、配所に赴いています。彼の大著『教行信証』はここで書き始められたのですが、その末尾に以下の記述があります。

主上臣下、法にそむき義に違《い》し、いかりをなし、うらみをむすぶ。罪科をかんがへず、みだりがわしく流罪に罪す。あるいは僧儀をあらため、姓名《しょうみょう》をたまふて遠流に処す。予はそのひとつなり。しかればすでに僧にあらず俗にあらず、このゆへに禿《とく》の字をもて姓とす（『教行信証』）。

主上すなわち天皇とその臣下（公家）が法に背き、義に違いて怒りを起こし、恨みの気持ちを抱き、罪科を顧みず妄《みだ》りに我々を流罪に処した。或る者は僧籍を剝奪され、或る者は俗人の姓名を与えられ、遠流に処せられた。自分もその一人である。もはや自分は僧侶でも俗人でもない。ゆえに禿という名をこれから我が姓とする。

臆することなく彼は天皇を批判しているのです。野間宏が「日本の仏教徒のなかで天皇をこれほどはっきりと非難しそれに抵抗していたのは親鸞一人です」（野間宏『歎異抄』）と言っていますが、まさにその通りなのです。

「善人なをもって往生を遂ぐ、いはんや悪人をや」

親鸞の教えの特色は、阿弥陀様は罪業深い人間を救うためにこの易行（簡単な修行）を選ばれたのだというところから来ています。これが端的に表れているのが、『歎異抄』の有名なくだりです。

善人なをもって往生を遂ぐ、いはんや悪人をや。しかるを世の人つねにいはく、悪人なを往生す、いかにいはんや善人をや。この条、一旦そのいはれあるに似たれども、本願他力の意趣にそむけり。そのゆへは、自力作善のひとは、ひとへに他力をたのむこころ欠けたる間、弥陀の本願にあらず。しかれども、自力のこころをひるがへして、他力をたのみたてまつれば、真実報土の往生を遂ぐるなり。煩悩具足の我らは、いづれの行にても生死《しょうじ》を離るることあるべからざるを、あはれみたまひて願を起こしたまふ本意、悪人成仏のためなれば、他力をたのみたてまつる悪人、もとも往生の正因《しょういん》なり。よって善人だにこそ往生すれ、まして悪人はと、仰せさふらひき。

（善人でも極楽往生できるのだから、まして悪人が往生できないはずがない。しかるに、世の人は常にこう云う、「悪人でも往生できるのだ。ましてや善人が往生できないはずがない」。このことは、一旦理由のある言葉のように思えるけれども、阿弥陀様の本願の趣旨に背いている。そのわけは、自力で善行を行って、その力で往生しようとする人は、ひたすら他力――阿弥陀様の力――を信じ、頼りにする心が欠けているために、阿弥陀様の本願には合わないのである。しかし、自力の心をひるがえして、ひたすら阿弥陀様の他力をたのみとするならば、真実の極楽往生が出来るのだ。しかるに煩悩具足をこの身にまとう我らは、どんな修行でも生死を超えることはできないのを、哀れに思って阿弥陀様が本願を起こされた真意は、悪人が成仏するためであるのだから、他力をたのみまつる悪人こそが、最も往生の機会を持つ者なのである。だから、善人でも往生するのだから、まして悪人が往生できないはずがない、と仰せになったのだ。）

自分が悪人であるという自覚は、こんな言葉にも表されています。

いづれの行もおよびがたき身なれば、とても地獄は一定《いちじょう》すみかぞかし。
（どんな修行も身につかなかった自分であるから、どうあっても地獄はきっと私の住処《すみか》であるだろう。）

悪人とは何か

但し悪人が往生できるといっても、自分から進んで悪行をすることを、親鸞は「本願ぼこり」と言って戒めています。「薬あればとて、毒を好むべからず」と言ってそうした考えを戒めたのでした。それでもこの教えを誤解する人たちが出てくるのを止めることはできませんでした。

事実、東国に派遣した彼の息子の善鸞は、阿弥陀仏はどんな悪人でも救済されるので、悪は思うままに振る舞ってよい、という欲望を全肯定する教え（「造悪無《ぞうあくむ》碍《げ》」と言います）を、自分一人に夜、父が教えたのだと主張し、これに従う人々が現われたのです。親鸞は悩みぬいたすえにこの息子を義絶し、このことを門徒に通知しました。

たしかに親鸞の教えは誤解されやすい面を持っていました。そもそも「善人なをもって往生を遂ぐ、いはんや悪人をや」という時の「悪人」とはどういった人を指すのでしょうか。古くからさまざまな解釈があります。

平重衡のようなたくさんの人を殺《あや》め、東大寺大仏を焼いてしまうといった、まさに大きな悪を為してしまった「悪人」もいれば、そうではなく、ささやかな生活のために生き物を殺めて生活してきた庶民もいます。また広く言えば生まれてから今日まで一度も悪を犯さなかった人などいない、どんな人だってみな「煩悩」を抱えて生きている悪人だという見方もできます。そして親鸞は自分のことを地獄に落ちるべき悪人と呼んでいました

（「いづれの行もおよびがたき身なれば、とても地獄は一定すみかぞかし」）。
共通するのは、自分の悪を自覚し、阿弥陀を信じて念仏を唱えること、すなわち他力を信じることです。

自然法爾の教え

これまでの仏教はいわば、自力の仏教（聖道門）でした。それは戒律を守り、厳しい修行に耐えることで悟りを開き、極楽往生を遂げようという道です。しかし、こうした考え方には、一面ではひたすら阿弥陀如来の本願におすがりして、という気持ちが乏しいともいえるわけです。親鸞は、我々の信仰は、自らの意志ではなく阿弥陀様の意志によるのだと言います。

このひたすら「おのがはからひ」（自力）を排除する信仰は、最晩年の「自《じ》然《ねん》法《ほう》爾《に》」の教えにつながります。

阿弥陀如来は、無上の仏になろうと誓われたのであった。無上の仏というのは、形もなく存在しておられるのです。形がないからこそ、「自然」と言うのです。形なく存在しているからこそ、「自然」と言うのです。もし形があるのであれば、それは無上の涅槃とは言えません。形なく存在しておられる様子を、我々に知らせようとして、初めて「弥陀仏」と呼ぶのであると、私は聴いております（「末燈鈔」〈増谷文雄編集『日本の思想3　親鸞集』〉）。

阿弥陀仏は最高（無上）の仏になろうと誓われ、それを実現されたのだ。最高の仏とは、姿形のない、目に見たり触ったりできない存在だと親鸞は言います。こうした形のないものを自然と言い、それを知らせるために、阿弥陀仏と呼ぶのだ、と言います。

「方便」としての阿弥陀仏

さらにこう言います。

弥陀仏は、自然のやうを知らせん料《りょう》なり。

阿弥陀仏とは、自然のありようを知らせるための料（材料・手だて）である、と言っています。

これは、阿弥陀を「方便」とする思想とも通ずるものです。『一念多念文意』という著作のなかで、親鸞は「方便」のことを「かたちをあらはし、御名を示して、衆生に知らしめたまふをまふすなり。すなはち阿弥陀仏なり」と言い、阿弥陀仏はまさに「方便」であると言います。方便と言うと、「嘘も方便」という言葉があるように、真実ではない仮のもの、といった意味にとられるかもしれません。しかし、本来の「方便」とは、形がなく視覚で捉えることのできない「自然」を、「かたちをあらはし、御名を示して、衆生に知らしめたまふ」、凡俗の私たちにも教えてくれる働きをもつのです。

仏教には、釈迦という人物の背後に、不変の悟りの主体となる法（真理）があって、この法が釈迦という肉体と命をもった人間の形をとって現われたのだという思想があります。ただこの「法」という真理は、人間には認識することが難しいと親鸞は言うのです。

このことは『唯信鈔文意』という書物にも著されています。

法身はいろもなし、かたちもましまさず。しかれば、こころもおよばれず、ことばもたえたり。

本来、仏法という真理は色も形もなく、言葉でも言い表せないもので、人間には見ることも触ることもできない。しかしそれでは永遠に人間には感知できないものになってしまう。そこで、

この一如《いちにょ》よりかたちをあらわして、方便法身と申す御すがたをしめして、法蔵比丘となのりたまひて、不可思議の大誓願をおこしてあらはれたまふ……。

この「一如」（真理の世界）から人間にもわかるように「かたちをあらわして」、「方便」として法蔵比丘となのって阿弥陀仏が現われたのだというのです。そしてすべての人を救おうという誓願を起こされたのだというのです。浄土も同じです。これも方便なのです。曇鸞の『往生論註』に、浄土というものは、人々を悟りの世界に導くための「道路」であり、「無上の方便」であると記されています。現代の真宗学者・内藤知康は、「浄土という世界こそが実は悟りを開くのに最高の手段だと示されている」のだと解釈しています（『阿弥陀仏と浄土　親鸞が歩んだ道』）。

「無」と「空」と親鸞

森三樹三郎はこうした言葉から親鸞の阿弥陀仏観の変化を見て取り、以下のように述べています。

> 弥陀仏を人格神と見る立場から、非人格的で理法的な存在、ロゴス的な存在として見る立場へ、移動してきているように思われる（『老荘と仏教』）。

『歎異抄』では「弥陀の五劫思惟の願をよくよく案ずれば、ひとへに親鸞一人がためなりけり」と言い、「自分のような業の深いものを助けてくださった阿弥陀様の本願のかたじけなさ」に感謝していた彼が、最晩年には「阿弥陀仏は方便」だと言っているのです。

森は「八十六歳の老境の身でありながら、阿弥陀仏の神話的な粉飾を除き去り、その実体が自然であることを直視しようとする、その勇気、その大胆さには、ただただ感嘆するよりほかはない」と述べていますが、私もこれに共感します。人間による一切のはからいを捨て、本来目に見えない、言葉で言い表せない、心に思い描くこともできない真理（自然）に身を任せる、という境地は、森が看取したように、すべてをありのままに任せ、自然の摂理に委ねる『荘子』の境地と共通したものがあるように思います。

ここまで到達すると、それはもうあと一歩で、

> 神の名は宗教によって違う。キリスト教、イスラム教、仏教、神道、みな違う名前を神にあてている。しかしその名前がどうあれ、それが指し示している、ある同一の至高の存在がある。それが存在するということだ。宗教はすべて人間が作った。だから神に違う名前がつけられた。名前は違うが、対象は同じなのだ（立花隆『宇宙からの帰還』）。

と喝破した、宇宙飛行士の宗教観と通ずるものすら感じるのです。

ただどうしても否定できない親鸞と『荘子』の違いは、親鸞には罪の意識——自らを悪

人とする意識――があるのに、『荘子』には罪の意識というものがもともと存在しないということです。気宇壮大な荘子にすれば個人の罪の意識などは些末なことなのかもしれないのですが、私たち現代人にはやっぱりこれを取り除くことはできません。親鸞の苦悩は、私たち現代人の苦悩とも通じるところがあります。だからこそ私たちの心をひきつけるのでしょう。

第七章　現代史との対話——明治維新と戦後日本

明治維新

一八五三年、神奈川浦賀沖にやってきたアメリカの黒船。その衝撃がやがて、二百六十年続いた徳川幕府の衰退につながり、薩摩と長州を中心とした明治政府の成立を導きました。圧倒的な力をもつ外圧に対し有効な抵抗ができず、明らかに権威を低下させていく江戸の将軍に対して、俄然存在感を増してきたのは京都にいる天皇でした（大佛次郎『天皇の世紀』）。

元来この国の統治者であり、権威の源泉であった天皇に対する敬意は、その前兆のごとく十八世紀後半ころから、朱子学の名分論においても、また国学においても高まってきていました。「尊王思想」です。アメリカなど西欧列強との条約調印に反対し、国交断絶、外国人の排斥を声高に叫ぶ「攘夷」の声は、「尊王思想」と結びつき、いつまで経っても攘夷を実行できない「弱腰」の幕閣への不信感が募ってきました。こうして「尊王攘夷」と「倒幕」が結びつき、薩長の連合によって、倒幕が進められていきました。その過程で攘夷を実行しようとした両藩は、薩英戦争・四国艦隊下関砲撃事件と、列強に攻撃を仕掛け、かえって傷を負いました。

産業革命を経た西洋文明は、かつて戦国時代にキリスト教宣教師や商人が来た時代のそれとはもうずいぶんレベルの異なるものに成長していました。西洋の圧倒的な軍事力、その文明の威力をいやというほど知った彼らは、一八六八年、大政奉還により政権を獲得したあとは、一転して西洋文明の摂取に総力を挙げて取り組むのです。

明治維新によって徳川家康が開いて以来二百六十年あまり続いた江戸幕府が滅び、これに代わって天皇を中心とした近代的な国家が誕生し、首都も京都から東京へと移りました。刀を持つことを許された武士という特権階級が廃止され、士農工商という四つの身分も無くなりました。文明開化・富国強兵のスローガンのもと、西洋の文明を積極的に学び、導入しました。

平成という時代の二つの総括

戦後を代表する社会学者であった見田宗介は、二〇一八（平成三十）年一月二十五日の読売新聞のインタビューで、「僕の考えでは、平成の始まりは明治維新と並ぶ、大きな歴史の曲がり角です」と言っています。ただ「二つは対照的です。明治は坂を上り始めた時代、平成は坂を上り終えた時代」とも。

消極的にとらえる必要はありません。日本は富国を成し遂げたと考えるべきです。この先、谷底に下りるのではなく、高原を歩き続けられるようにすることが大切です。地球環境・資源に限りはありますが、無理をしなければ、今の相当豊かな生活をほぼ保つことができるはずです。どうやって高原の明るい見晴らしを切り開くのか、それが日本の課題です（『現代社会はどこに向かうか』）。

と見田氏は言います。

もう一人の見方を紹介しましょう。同じく社会学者の吉見俊哉は、二〇一九年五月に出版された『平成時代』という、まさにこの三十年間の歴史を振り返った一書において、この時代を「一言でいえば『失敗の時代』」「『失われた三〇年』と言ってもいい」と総括しています。そして問うのです。

> それぞれの組織や職場において、人々は精一杯の努力をしてきたように思う。それにもかかわらず、失敗の連鎖からこれほど長い間、抜け出すことができなかったのはどうしてなのだろうか。

と。吉見はこの三十年が「冷戦の終わりからグローバリゼーションへと向かっていく世界史的な激動の時代に重なる」こと、「グローバリゼーションこそ、この平成時代を貫く最大のモメント」であったことを指摘します。これによって、「国民国家に生じていった無数の亀裂の中で貧困とテロリズム、新たな差別主義が擡頭した。同時にインターネットが、この時代を貫いたもう一つの決定的なモメントだった」とも捉えています。「平成」とは、

> グローバル化とネット社会化、少子高齢化の中で戦後日本社会が作り上げてきたものが挫折していく時代であり、それを打開しようとする多くの試みが失敗に終わった時代であった

というのが吉見の総括です。見田と比べるとかなり悲観的な見方ですが、これが冷厳な現実なのではないでしょうか。ここから私たちは出発しないといけないと思います。

日本近代史の七十七年周期

西暦二〇二二年という年は、明治維新から百五十四年になる年でした。明治維新は、日本の歴史の中でも最も大きな転換期であったと言えるでしょう。それから百五十四年目が二〇二二年になります。この百五十四年間の日本の歴史はまさに激動の時代でしたが、この百五十四年のちょうど折り返し点はというと、七十七年になります。明治維新から七十七年後というと、一九四五年です。この年に第二次世界大戦が終わり、日本は降伏したのでした。明治維新から七十七年で日本は戦争に負け、そこから七十七年で二〇二二年にな

るわけです。

日本は七十七年の年月を経て近代国家として成長した結果、最後には戦争に負けて国土は焦土と化しましたが、そこからまたほぼ同じだけの歳月を費やして、どん底から高度経済成長を経て、今また長い不況や少子高齢化、国際的な地位の低下などで衰退の道を辿っています。これから先、日本がどうなっていくのか、不安も大きくあります。

ここでまず私たちは、明治維新から敗戦までと、敗戦から今日までとがほぼ同じ年月――七十七年ほど――であるという興味深い事実を確認し、このあとの考察の出発点にしたいと思います。

日露戦争という山の頂き

次頁の百五十四年の図を見てください。明治維新から敗戦までの七十七年の折り返し点をさらに半分で割ると三十八、九年ということになります。このころの日本では何が起きたでしょうか。明治維新から三十六年後、日露戦争が起きました。これに勝利した日本は翌年ロシアとの間でポーツマス条約を結びました。

このあたりまでは、近代日本国家の上り調子の時代ともいえるでしょう。司馬遼太郎が

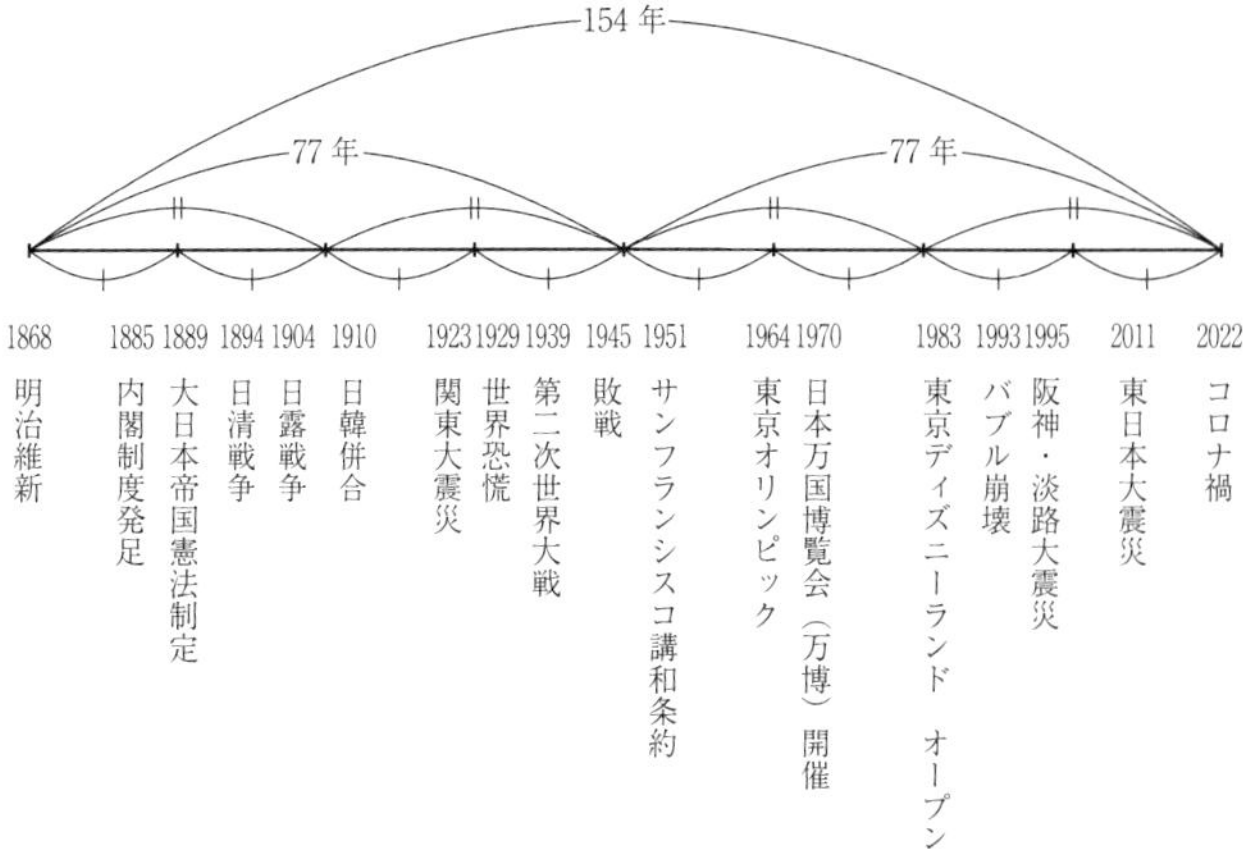

明治維新からの154年

『坂の上の雲』で描き出した時代です。『坂の上の雲』は、愛媛松山で生まれた秋山好古・真之兄弟が共に軍人として成長し、日露戦争で活躍するまでを描いた大河小説で、「まことに小さな国」が明治維新という改革によって近代化を遂げていくさまを描きました。

当時の国民の道徳、思想に大きな影響を与えたのは、福沢諭吉の『学問のすすめ』を始めとする啓蒙的な著作でした。「天は人の上に人を造らず。人の下に人を造らず」という平等思想とともに、「人には賢愚あり」、その違いは「学ぶと学ばざる」とに由来し、「学問を勤めて物事をよく知る者は貴人となり富人となり、無学なる者は貧人となり下人となるなり」と唱えました。この学問による立身出世主義とも言いうる思想を普及させたことは、後世に大きな影響を与えました。日本人の教育水準の高さは、江戸時代からの寺子屋などの伝統によるところが大きいですが、学問さえできれば家柄などに左右されず立身出世ができるという啓蒙によるところも忘れることはできません。

文明開化、国を挙げて西洋文明の摂取に努めた日本は、アジアで初めての立憲国家となり、富国強兵に邁進し、日清戦争・日露戦争に勝利し、アジアにおいて西洋列強に伍する強国をめざし、それを半ば実現していきました。

与謝野晶子の少女時代

こうした明治の進取の気分は、大阪堺の高等女学校で教えるひとりの若い教員にも共有されていました。当時この女学校は裁縫のみを学ぶ裁縫科と、裁縫に加えて英語や数学や地理歴史なども学ぶ本科とに分かれていたのですが、裁縫科に在籍する学生に向かってこの教師は、できたら本科に移るよう勧めました。これからの時代は女子学生も裁縫だけではなく、幅広い一般教養を学ぶべきだと熱弁をふるったのです。明治二十五（一八九二）年ころのことと思われます。

あなた方は裁縫を主に習ってお家《うち》の手助けを早く出来るようになるのを楽しみにしておいでになるのでしょうが、私は少しあなた方に考えて頂きたいことがあるのです。女は裁縫をさえ上手にすればいいと思うのは昔風な考えで、世界にはいろいろな国があって、智慧の進んだ人の多いこと、日本もそれに負けていてはならない、と云うことを思うことの出来る人なら、智慧を磨くための学問は必要ない、などとは思えないはずだと思います（与謝野晶子『私の生い立ち』）。

これを聞く女学生の中に当時十四歳の与謝野晶子がいました。彼女はすでに本科に在籍していましたが、この勇気ある言葉（おそらく学校内では物議を醸したであろう発言ですが）を聞いてどう感じたのかについては記されていません。それでも自叙伝にわざわざ書き留めていることからすると、この先生の熱い思いを感じ取ったに違いありません。まさに『坂の上の雲』の気分です。

亡びの予感

この勢いに乗じてその八年後、日本は韓国を併合しました。日本の大陸侵略の始まりです。明治維新でスタートした近代国家は、日露戦争までは順調に国を富ませ、兵を強力にし、坂を上っていったのでしたが、そこには矛盾もありました。夏目漱石『三四郎』の冒頭の場面が思い浮かびます。帝大に合格して九州から上京する汽車に乗る三四郎に、たまたま前の席に乗り合わせた紳士が、日本には世界に自慢できるものが富士山くらいしかないと嘆きます。

紳士は、

こんな顔をして、こんなに弱っていては、いくら日露戦争に勝って、一等国になっても駄目ですね。

と悲観的に言うのです。これに対し三四郎が、

しかしこれからは日本も段々発展するでしょう。

と弁護すると、すました顔で紳士は、

亡《ほろ》びるね。

と言い放ったのでした。この小説が書かれたのは日露戦争終結の三年後、明治四十一（一九〇八）年でした。漱石は、日露戦争の勝利に沸く日本人に驕《おご》りを見たのです。明治維新から三十八年ほど経ったこのころは、近代日本の頂点のころであり、驕りの見え始めた時期でもあったのです。先ほど触れた与謝野晶子も日露戦争に際し、あの有名な「君死

にたまふことなかれ」の詩を発表して戦争への反対の気持ちを表明しました。それから約四十年で敗戦でした。

一九八三年の東京ディズニーランド

では、敗戦後の一九四五年から同じくらい、つまり三十八年ほど経ったころというと、いつ頃になるでしょうか。一九八二〜八四年ころ。私事ですが、私が大学生だった頃です。このころの日本は、経済力も十分あり、豊かで明るい希望に満ちた時代だったように思います。政治では中曾根内閣の時代です。その約五年後にバブル景気を迎えるのですが、バブルの頃のような爛熟した、いささか悪ノリしたような雰囲気はなく、健全な若さ、素直さの残る時代でした。当時を知る人の中には、よくあの時代の日本が一番いい時代だったという人がいますが、私も共感するところがあります。

あの時代を象徴する出来事というと何でしょう。年表を見て思い出すのは、一九八三年、東京ディズニーランドが開園したことです。アメリカへ行かなければ体験することのできなかったその世界を、日本にいながらにして味わえるようになったのです。今になってみると、当時の感じ方以上にその後の日本人の娯楽を、大げさにいえば人生観をＴＤＬは変えたように思います。

もうひとつこの時代の文化を象徴するのが、大瀧詠一の「ロング・バケーション」というＬＰレコードでした。今でもＣＭなどでこのアルバムに収録されている「君は天然色」をよく耳にしますが、あの当時、特に大学生の間でこのＬＰは支持され、サークルの部室などでエンドレスで流れていたのが印象に残っています。他にも当時の大学生は、坂本龍一らのＹＭＯや糸井重里らを支持し、知識人では浅田彰や中沢新一らがもてはやされていました。今ふりかえると、あの時代を一番匂わせてくれるのが、あのナイアガラサウンドではないでしょうか。

こうしてみていくと、明治維新から敗戦までの七十七年と、その後の七十七年間を前半、後半に分け、またそのそれぞれを半分に分けたところで、いずれもこの国は山型のピークの曲線を描いているように見えるのです。

明治五十七年と戦後五十七年——二つの衰退

明治維新からの七十七年、敗戦からの七十七年、この二つの期間の折り返し点の三十八、三十九年ほどをさらに二で割ると十九年くらいになります。次にこの百五十四年を八等分してみたいのです。

明治維新からそれくらいの年月を過ぎたころ何があったでしょうか。十七年後の一八八五年、内閣制度ができ、初代総理大臣に伊藤博文が就任しました。その四年後には、大日本帝国憲法が制定されました。このあたりで明治の近代国家が一応完成したといっていいでしょう。明治維新の完成という評価もあります。

新政府が発足して十年ほどは士族の反乱が相次ぎ困難の連続でしたが、その最大のものである西南戦争が明治十（一八七七）年に鎮圧されると、それからの十年ほどで明治政府は内閣制度を作り、明治憲法を作ったのでした。比較的順調にアジア初の近代国家の建設に向けて坂道を上っているように見えます。ここまで明治政府の中枢にあって事実上の宰相として主導権を掌握していたのは、大久保利通でした。西郷と大久保、この薩摩の、互いに近所で生まれ育った幼なじみ二人が「投手と捕手の関係のように」（司馬）、「最も仲が良くて最もしっくりした連携をとって働い」て「幕府を倒した」こと、これを海音寺潮五郎も司馬遼太郎も「奇蹟」と呼んでいます（海音寺潮五郎・司馬遼太郎『日本歴史を点検する』）。

松本清張も大久保の政治家としての手腕を評価しています。「大久保は明治全期を通じての大宰相であり大政治家であった」と述べ、その後「伊藤（博文）も大隈重信も山県有朋も、大久保の各々の面を継承している」として、「伊藤は内政と外交に、初期の大隈は財政に、山県は軍隊と警察に、大久保路線のそれぞれを分担し実践した」と言っているのは至言であると思います（『史観宰相論』）。大久保が四十九歳で非業の死を遂げたあと、その後継者である伊藤と山県によって明治の富国強兵は進められていきます。主に富国は伊藤主導、強兵は山県主導でした。

帝国主義の始まり

そこからさらに時を経て、憲法制定から日露戦争までは十五年です。ここが近代日本のひとつのピークだったということは、先ほども述べた通りです。司馬遼太郎は、日露戦争について「いくら考えても一種の祖国防衛戦争という面でとらえるほうが、きちっといくのではないか」と言っています（これに関しては今では有力な異論もあります）が、「もっとも日露戦争が終わりますと、日本はいわゆる帝国主義の道を歩み始めることになります」（『「昭和」という国家』）とも語っています。

日露戦争ののち日本は現在の中国東北部にあたる満州に進出し、植民地化していこうとします。さらに、その南の朝鮮半島を支配していきます。当時の朝鮮半島には大韓帝国という国があり、激しい抵抗運動もあったのですが、この国を日本は併合しました。このころまで伊藤も山県も元老として君臨していました。司馬は「数千年の文化を持った、そして数千年も独立してきた国」を「平然と併合という形で、相手の国家を奪ってしまった」ことを「愚劣なこと」と非難しています（一部に誤解されていますが、司馬は決して明治を礼賛しているわけではなく、韓国併合などその帝国主義的傾向を厳しく批判していることは、ここで強調しておきたいと思います）。

　イギリス・フランス・ドイツ・アメリカなど西洋列強がアジア・アフリカ・南米大陸に植民地を拡大し、現地の人々を移して奴隷として働かせ、繁栄を築いていた十九世紀から二十世紀初め。こうした帝国主義政策の行き着いた果てが、第一次世界大戦でした。第一次世界大戦は、ヨーロッパを主たる戦場としましたが、従来になかった三つの兵器が使用されました。飛行機・戦車そして毒ガスです。文明は進歩し、既に汽車は普及しており、馬が主たる輸送手段・移動手段であった時代は終わりを告げました。そして無線、電話、やがてラジオの発明がなされます。

　これまでにない大量殺戮が行われた戦争であったことへの反省から、こうした世界戦争を繰り返さないように、との願いが高まり、国際連盟が結成されました。しかし欧米列強の帝国主義政策は、なおも進行し、資本主義経済の歪みは一向に止む気配はありませんでした。そこからマルクス・エンゲルスの説いた社会主義が一方で支持を集めるようになります。一九一七年にはロシアで最初の社会主義革命が勃発しました。

関東大震災・世界恐慌・第二次世界大戦

では一九〇六年ころから十八年後の日本はどうだったでしょうか。

一九二三年九月一日、関東地方とりわけ東京に大地震がありました。関東大震災です。東京・横浜などで多くの建物が崩壊、火災が発生し、死者・行方不明者は十万人を超えました。このパニックのなかで、朝鮮人が東京中の井戸に毒を入れて回り、放火・強盗・暴行を行っているというデマが広まりました。人々は自警団を結成し、朝鮮人と見るとリンチを加え、殺したりもしました。これにより多くの朝鮮の人たちが殺されました。パニックと差別感情が引き起こした忌まわしい出来事です。東京中が焼け野原になってしまった痛手は国全体にとっても大きなものでした。

一九二七年、金融恐慌が日本で起こり、さらに一九二九年、ニューヨークの株式市場が突然大暴落したことによって始まった世界恐慌の波も日本は被りました。世界は一気に暗いムードに包まれました。第一次世界大戦の敗者で巨額の賠償金の支払いを課せられたドイツでは、全体主義、ファシズムが台頭しました。その指導者がヒトラーでした。彼は情熱的で巧みな演説で大衆の心をつかみ、自国への愛国心と、他民族への憎悪を煽《あお》りました。これが、その後のアウシュヴィッツ収容所等での毒ガスによるユダヤ人の大量虐殺につながっていくのです。二十世紀史最悪の汚点です。

　こうして第二次世界大戦が始まり、日本もイタリア・ドイツの味方となって参戦します。一九四一年十二月八日、真珠湾攻撃により、日本はアメリカと戦争になりました。太平洋戦争です。当初は優勢でもあったのですが、ミッドウェー海戦の大敗以後、劣勢となり、日本は敗戦を迎えました。関東大震災のあった一九二三年から二十二年後のことでした。広島・長崎に原爆を落とされたのを始め、東京・大阪・名古屋・神戸（堺や和歌山など他の地方都市も）はほとんど空襲を受け、焼け野原となりました。

近代日本の七十七年目の滅亡

　満州事変、二・二六事件、そして日中戦争から太平洋戦争と、その敗戦に至る昭和の激動の歴史は、清張、司馬いずれとも親しかった文藝春秋の編集者で昭和史家であった半藤一利の一連の著作をぜひお読みください。とても片々たる本書などで語りつくせるものではありません。明治維新から七十七年で、近代日本はどん底に落ちてしまったのです。半藤が、一八五三年、ペリーの黒船来航から十二年後の一八六五年に開国を国策とした日本が、その四十年後に日露戦争勝利で近代国家を完成させ、しかしそこから四十年後に国を滅ぼしてしまったという指摘をしています。

半藤によれば、当時世界の五大強国といわれていたロシアにかろうじて勝利したことで、「世界の国々から、アジアに日本という立派な国があることを認めてもらうことができた」が、そこから「日本人はたいへんいい気になり、自惚れ、のぼせ、世界中を相手にするような戦争をはじめ、明治の父祖が一所懸命つくった国を滅ぼしてしまう結果」になった。これが昭和二十年八月十五日の敗戦だというのです（『昭和史　１９２６－１９４５』）。

親鸞の教えと現人神天皇

当時、政府は国民精神総動員運動を展開し、国民総力戦としてこの戦いを勝ち抜こうとしていました。そこで、キリスト教や仏教、またさまざまな新興宗教もこれに協力するよう圧力がかけられました。前章でとりあげた親鸞の教えを奉ずる浄土真宗（浄土真宗本願寺派と真宗大谷派）もまた、天皇を現人神とし、その下で「尽忠報国」を実践し、「鬼畜米英」を殲滅《せんめつ》するための教学に脱皮しようとしたのでした。

　宗派の存続のためとはいえ、当時代表的な真宗学者や仏教学者、哲学者らが、今読むとぞっとするようなことを戦時中には書いていました。親鸞の教えを奉ずる立場と、天皇を現人神として服従し、そのために命をなげうって戦争に身を投ずる立場とが不即不離のものとして正当化されているのです。

　これらは近年、政治学者の中島岳志（『親鸞と日本主義』）や近代真宗史研究者の近藤俊太郎（『天皇制国家と「精神主義」　清沢満之《きよざわまんし》とその門下』）らの研究によって明らかになってきています。たとえば岩波文庫の『歎異抄』の校注を担当した、真宗大谷派の僧侶で近代の代表的な真宗学者であった金子大栄は、阿弥陀の四十八願の本願は天皇の大御心《おおみこころ》であり、仏の慈悲は天皇の慈悲そのものであるとしました。金子は言います。

　第十八願が天皇の願ひであるから四十八願がそのまま陛下の詔《のり》である。帰一と云ふのも二つのものを一つにするのではなく、仏の願がそのまま神の願であるとして間違ひのないものである。

曾我量深《りょうじん》も、近代を代表する真宗学者であり僧侶でした。彼はこう言いました。

> 死ぬときはみな仏になるのだ。国家のために死んだ人ならば神となるのだ。神になるなら仏にもなれる。弥陀の本願と天皇の本願とは一致している。

中島が指摘しているように、阿弥陀の「他力」を天皇の「大御心《おおみこころ》」に読み替えることで、「おのがはからひ」を捨てて極楽往生を信じる阿弥陀への信仰が、天皇に絶対服従する心理へと容易に移行したのでした。前章で親鸞の思想をとりあげましたが、その信仰のかたちを、一歩踏み誤った結果、こうした危険な教えに転じてしまったのです。

戦後、批判を受けることになりましたが、戦争中、大学生に強い影響力のあった京都学派とよばれた西田幾多郎、田辺元門下の哲学者たちも「大東亜戦争」を肯定し、これを正当化するような発言を多くしました（『近代の超克』）。日本と欧米との戦いは、アジア世界が西洋近代文明を超克するための正しい戦いなのであると。こうした教授たちの訓話を聞いて学徒兵は戦地に赴いたのでした。それはこの戦いは正しい戦いなのだから、悩むことなく戦ってくるがよいというメッセージ、もっと言えば、たとえ戦死したとしても、正しい戦争のために死ぬのだから、その死には意味がある、安心して死んできなさい、というメッセージでもありました。事実、これを聞いて覚悟が定まったという学生も多くいたのです。

司馬遼太郎と水谷星之介

二十歳で陸軍に召集されて満州などに駐留した司馬遼太郎が、敗戦の時、この国はなんとくだらない戦争をやってきたのか、何をしている国なのかと暗然とし、昔の日本人ならこのようなことはしなかったのではないかと思ったところから、のちに日本史への関心が生まれた、と述べているのは有名な話です。

私事ながら、同じころ司馬より二歳年長の私の父、水谷星之介（和夫）は、小樽高商（現・小樽商科大学）を卒業後すぐ海軍に召集され、一式陸攻出撃の時を待っていました。いつか古い中学の卒業アルバムの中から、彼も、彼もと、戦死した同級生の顔を指し示し、教えてくれた記憶があります。終戦時に二十二、三歳だったこの世代の実に六人に一人が戦死したと言われています。右に述べた京都学派の教授たちの文章を読んだ時の複雑な感想も述べてくれました。

文学青年だった父は学生時代、仲間と同人誌を作ったりもしていましたが、父より遅れて召集された親友が外地から父へ送った手紙が、のちに『きけ　わだつみのこえ』に収められています。北京で戦病死した友は、「生あらばいつの日か、長い長い夜であった、星の見にくい夜ばかりであった、と言い交わしうる日もあろうか……」と、父と再会できる日を病床で夢見ていたのでした。

土浦から静岡、高知、福岡と海軍の航空基地を転々とし、出撃の時を待っていた父は、八月十五日を鹿屋《かのや》の海軍基地で迎えました。郷里の滋賀県大津市に帰る列車の窓から、荒涼たる広島の光景も目にしたといいます。日本の兵士はポツダム宣言に「元の平和的な仕事に戻るように」と書いてあるのを見て、命は助かったと思ったそうです。

二つの占領――軍部とアメリカと

八月三十日、神奈川県厚木飛行場にダグラス・マッカーサーが到着し、占領が本格的にスタートしました。今では日本国中、軍服を着たアメリカ兵が町のそこここにいる、という光景は想像できないですが、占領中の約七年間はそういう時代でした。この数年間、社会不安の増大する中、帝銀事件、下山事件、三鷹事件など不可解な事件が続発しました。これらは今もなお真相は解明されていませんが、松本清張は『日本の黒い霧』などでタブーに切り込み、ここにＧＨＱが介在していた可能性を追究しました。

占領期は、日本政府の行政権、司法権、警察権が制限を受けていた時代でした。しかしそういう時代だったからこそ、日本人だけでは到底為しえなかった戦後のさまざまな民主化が実現したことも間違いありません。日本国憲法もそうです。司馬は、「むしろこの憲法のほうが、昔なりの日本人の慣習——法慣習とまでは言いませんが——日本人の慣習にふさわしい感じ、なじんでいる感じであります」と言っています（『「昭和」という国家』）。

彼は言います。「戦後にアメリカ軍、国際法的には連合軍に占領されましたが、さほどの抵抗がなかったような気がします」。どうしてなのか。昭和の初年からの二十年、この国は「日本の軍部に支配される、というより占領されていたのだろう」と司馬は言いました。

この国は結局、アメリカに占領される以前に、日本の軍部に占領されていたのだろう。むしろあとから来たアメリカのほうが「何か世の中が開けたような、太陽が出てきたような」感じがあった。「やわらかい占領者が来て大きな文明を持ってきた」のだと。これが当時の多くの人々の実感でした。

黄金の六〇年代、七〇年代、八〇年代

そこから再出発して十九年後、一九六四年十月十日、東京オリンピックが開かれました。東京オリンピックは日本の復興の象徴でもありました。一九六〇年から七〇年頃にかけて日本は高度経済成長期を迎えたのでした。家庭にテレビが普及した時期でもありました。

戦後の日本の近代文学をドナルド・キーンは、平安・元禄に続く日本文学史上三度目の黄金時代だったと評しています。永井荷風・志賀直哉・谷崎潤一郎・川端康成・井伏鱒二がまだ存命で作品を発表し、下の世代では野間宏・大岡昇平・三島由紀夫・安部公房らが問題作を次々と発表していた時期、小林秀雄が文芸評論家として権威を持ち、エンターテイメント性の強い小説でも、大佛次郎・山本周五郎・江戸川乱歩・海音寺潮五郎・松本清張・井上靖・司馬遼太郎・山崎豊子らが良質の作品を発表していました。昭和二十年から四十五年くらいまでです。

世界の文学から日本文学を見ると、どうなるでしょう。十九世紀はまさに小説の時代でありました。二十世紀の文学のテーマは性である、と三島由紀夫は安部公房との対談で語っています。『仮面の告白』も『金閣寺』も性をひとつのテーマにしていますし、『痴人の愛』『春琴抄』といった谷崎文学の多くもそうです。

一九六八年、日本の文学が世界的に認められる名誉を獲得しました。川端康成へのノーベル文学賞授与です。実はその数年前から、日本人が選ばれるのではないか、という噂は聞こえていました。候補とされていたのは、いずれも世界で翻訳され、尊敬を集めていた谷崎潤一郎・川端康成・三島由紀夫でした（のちに詩人・西脇順三郎も有力候補だったことが明らかになりました）。しかし一九六五年、七十九歳で谷崎が長逝し、候補は残る二人となり、その三年後に三島の師ともいえる川端が選ばれました。しかしその二年後、三島は自衛隊市ヶ谷駐屯地で同志とともに自決し、川端はその二年後自殺しました。ここで黄金期は終焉を迎えたのかもしれません。

この間、六〇年代末には学生運動が激化し、大学構内はヘルメットをかぶってゲバ棒を握った全共闘の学生などに占拠されたりもしました。この学生運動を起こしていたのは、戦後二、三年で生まれた第一次ベビーブーム世代つまり団塊の世代でした。同じころ、この世代はグループサウンズブームを生み出し、またフォークソングブームを作り出した世代でもあります。前者からは沢田研二、萩原健一、堺正章といったスターが、後者からは吉田拓郎、井上陽水、加藤和彦、北山修、南こうせつらの才能が現われたのでした。

そこから十八年後が、先ほども述べた一九八三年でした。オリンピック後の六〇年代末から七〇年代、八〇年代なかばまでが戦後日本の青春期だったのでしょう。当時家庭に普及したテレビでは、七〇年代は山口百恵、八〇年代には松田聖子が活躍しました。そしてこの六〇年代後半から八〇年代半ばまで一貫してトップスターだったのが沢田研二でした。

この時代は日本のサブカルチャーが最も活気があり、質の高いものを生み出した時代だったと思います。映画、演劇、歌謡曲、フォークソングなどなど。今ようやく、この時代のものが国内はおろか海外でも注目され始め、Ｊポップと呼ばれて人気になっているようですが、時代がやっと追いついたのだと思います。

苦難の二〇〇〇年代

そこから十八年後が二〇〇〇年です。一九九九年七月、世界が滅ぶという「ノストラダムスの大予言」が最初にブームになったのは一九七四年くらいだったでしょうか。しばらく忘れられかけていましたが、実際にこの年が近づくにつれて再び話題に上るようになってきました。幸いこの予言ははずれましたが、いよいよこの年が近づいてきたころ、日本はバブル崩壊後の脱け出せない危機の中にありました。

二〇〇一年四月に小泉内閣が誕生、五月に株価が上昇、七月ころはちょっと明るい兆しが見えかけたような気がしました。九月にはニューヨークの世界貿易センタービルに旅客機が突っ込む、イスラム過激派による同時多発テロ事件が起きました。

平成四つのショックと令和のコロナショック

吉見俊哉は、平成時代の日本に四つのショックがあったとします。そしてこれを境に、この三十年は四つの時代に分けられると言います。

平成Ⅰ期　バブル経済の絶頂と崩壊
平成Ⅱ期　阪神・淡路大震災、オウム真理教事件とその後
平成Ⅲ期　アメリカ同時多発テロ事件とその後
平成Ⅳ期　東日本大震災とその後

その後、二〇二〇年からコロナ禍によって、世界は（日本も）また大きなダメージを受けました。これからすると、今や次のような時代区分が正しいように私には思えます。

Ⅰ期　バブル崩壊と阪神・淡路大震災（一九九五年）
Ⅱ期　東日本大震災（二〇一一年）
Ⅲ期　新型コロナのパンデミック（二〇二〇年）

「平成」には二つの「災後」がある、と吉見は言います。一九九五年の阪神・淡路大震災の災後と、二〇一一年の東日本大震災の災後とです。これに加えて二〇二〇年の春から三つ目の災いが襲ってきたのでした。

ポストコロナ世界へ

二〇二〇年八月十六日、私は堺女子短期大学で年に一回刊行される「短大通信」のコラムに以下の文章を寄稿しました。コロナ禍にどう向き合うべきかについて、考え得たことどもです。今もこの考えは変わっていませんので一部言葉を補い、引用します。

ポストコロナ世界へ
「長い人類の歴史からみて、この世界的なパンデミックが意味するものは何ですか?」
あるテレビ番組のインタビューで、『サピエンス全史』著者の歴史学者ユヴァル・ノア・ハラリ氏は答えた。▼「その結末を選ぶのは私たち自身です。もし私たちが自国優先の孤立主義や独裁政治を選び、科学を信じず、怪しげな陰謀論を信じるようになったら、その結果は歴史的な大惨事でしょう。逆にグローバルな連帯や民主的で責任ある態度、科学を信じる道を選べば、後世この時代はウイルスだけでなく、人類が自分たちの内側に潜む悪魔を打ち破った時代として位置づけられるはずです」▼半年前にタイムトラベル（時間旅行）をして、人類にこの危機を警告できればいいのだが、現実はＴＶドラマのようにはいかない。見えにくい未来を垣間見せてくれるのは、科学の知識と歴史の叡智だけである。▼晩年の司馬遼太郎が小学校の教科書のために書いた「二十一世紀に生きる君たちへ」の中で、遺言のように「近代人が忘れかけている、自然を恐れ敬う素直な心」と「他人を——他民族を——思いやる気持ちを育てること」を説いていたのが益々重みを増してきた。▼ポストコロナ世界はモラルなき乱世の時代、と見る識者も多い。しかしこれからの時代（それは気候危機の時代でもあろう）を、ただ世間の動きに順応し生き延びていくのではなく、どういう世界を創っていくべきかを考え、主体的・自覚的に生きていくには、やっぱり私たちは科学や歴史を学ばなければならない。大学は何よりもそのための場である。

二〇二三年夏、ようやくコロナの感染も峠を越えてきたようで、街ではマスクを外す人が増え、繁華街や観光地には多くの外国人観光客が戻ってきました。しかしロシアのプーチン政権によるウクライナ侵攻、それも影響しての食品や石油を中心にした物価高、夏の異常な高温、台風などの大雨強風被害の急増、そして構造的な少子化による人口減少など、周囲は不安だらけです。

特にここ十年ほどの政府の無策もあって深刻なのが少子化です。コロナ禍の三年間で出生数の減少はさらに進み、多くの識者が言うように、たとえ今後有効な政策がとられたとしても、少なくとも二十一世紀半ばまでは超少子化を解決することはできず、この国の人口は下がり続けます。解決策はもはや外国からの移民の増加しかないことは、薄々多くの国民が気づき始めているのでしょうが、これに抵抗感を覚える人もいて、偏狭なナショナリズム、外国人ヘイト感情をもつ人が移民の拡大に反対しています。

明治七十七年・戦後七十七年。次の七十七年は？

明治維新から大日本帝国憲法まで二十一年。そこから十五年後に日露戦争。そこから十九年で関東大震災。そこから二十二年で敗戦。そこから十九年で東京オリンピック。そこから十九年で東京ディズニーランド開業。そこから十八年で不況のどん底を迎え、そこから十九年でこの三年来、コロナ危機に陥ったわけです。十五～十九年くらいの間でひとつの時代が終わって次の時代に入り、これまで七十七年くらいのサイクルの間に、上り調子の時代は三十八年くらいでピークを迎え、やがてまた下り坂に向い、最後はどん底に陥りました。戦後、再出発した日本は同じような曲線を描いて今、落ちるところまで落ちたように見えます。

ここから三度、この国が上っていけるのか。悲観的なようですが、歴史がくりかえすことはないように思います。むしろこれから進むべきは地球環境と共存していく「脱成長」の道ではないかと考えます。地球と人間の持続可能な道の追求です。二〇二三年の夏、世界中で観測史上最高の暑さが記録されました。人類にとって本当の危機が迫っているのを実感します。これについては、本書の最後のほうでもう一度考えたいと思います。

第八章　人類史と二十一世紀の危機

人類史とヒトの本質

ここまで人類の歴史をきわめて大づかみではありますが、振り返ってみました。あらためて考えてみて、人類とは何なのでしょうか。数百万年前、ヒトの全人口は百二十五万人以下だったのが、約一万年前に農耕と牧畜が発明されると五百万人に増え、産業革命以降飛躍的に増大し、現在二十一世紀の初頭には八十億人のヒトがこの地球上に暮らしています（長谷川眞理子『進化的人間考』）。いまや宇宙に進出するなど、その知的活動も旺盛に展開されています。

　第一章で私たちは人類の進化について学びました。ヒトがチンパンジーやボノボと違う点として、生後九か月を過ぎると「自分が興味を持ったものをさしたり、母親の前に差し出したり、さらに手渡したりするようになる」という行為があることに言及しました。この「三項表象」の理解、すなわち「共同注意」の発生が、言語発生の前提になるのだろうと、現在多くの研究者が考えていることにも触れました。

　これまで複数の学者によってチンパンジーに言語を教える実験が試みられ、ある程度のコミュニケーションがヒトとチンパンジーの間で可能になっています。ただし進化人類学者の長谷川眞理子によると、数百の単語を覚えたチンパンジーが自発的にヒトに話す言葉は、その九割以上が「オレンジちょうだい」「くすぐって」「戸を開けて」といった「ものの要求」なのだそうです（『進化的人間考』）。教えられた言葉（シグナル）を使って他者を動かし自分の欲求を満たそうというものなのです。これに対してヒトの赤ちゃんの言葉は要求もするけれど、多くは「ワンワン」「お花、ピンク」「あ、〇〇ちゃんだ」などといった世界を描写し、それを他者も同じものを見ているという確認、思いを共有しているという確認であるというのです。

先にエピソードをご紹介したように、チンパンジーやボノボは外敵が来たのを大きな叫び声で仲間に伝えることはしても、美しい夕日を母親や仲間に伝えようとはしません。それが生存に直接影響しないからでしょう。彼らに美の観念はないでしょうし、また美を他者と分かち合いたいという感情もないのでしょう。人間とは何か――その答えを知ろうとして、私たちはチンパンジーやボノボといった近縁の種との違いを探ってきました。人類学者たちの探究はまだまだ続くでしょう。探究すればするほどわからないことが増えていくものと思います。それでも、現時点で私たちが分かっていることは、人間だけが三項表象を理解し、美の観念を持ち、言語を持つ――そのことの意味はいくら強調しても強調しすぎにはならないでしょう。

枢軸時代と科学革命と二十一世紀の世界

第三章では、カール・ヤスパースが人類の歴史を大きく四段階に分けたことをお話ししました。とりわけ彼が重視したのが、紀元前五〇〇年、あるいは紀元前八〇〇年から紀元前二〇〇年頃――中国、インド、ペルシア、パレスチナ、ギリシアにおいて、時を同じくして偉大な思想が生まれた時代――でした。これを彼は枢軸時代と名付けました。

大づかみにいうならば、枢軸時代＝精神革命は人類にヒューマニズム（人間愛と人文知）をもたらし、十八世紀の西洋での科学革命は、近代科学（理系・文系ともに）をもたらしたといえるのではないかと思います。これらは、現代の人類の知の世界の全体像の枠組みを形作っていると言っていいでしょう。しかし反面においてそれは負の側面――人類の未来を縛る枷《かせ》――にもなっているのではないでしょうか。

枢軸時代に出来上がったヘレニズム文化、ヘブライズム、仏教、儒教、少し遅れて現われたイスラム教、ヒンズー教などを含めると、これらは各々の文明世界の枠組みを作ってきたと同時に、各文明の間に立ちはだかる壁にもなりました。互いの文明間での対立・紛争が、多くの分断・戦争・殺戮を生んできたのも事実です。これは二十一世紀の現代においても人類が克服できていない問題です。各々の交流・相互理解・融和の精神が大切であるとずっと言われてきたにもかかわらず、いまだに人類はこの問題を解決できていないと言わざるを得ません。

科学革命もまた現代にひずみをもたらしています。西洋文明が飛躍的な発展を遂げ、特に産業革命によって鉄道・蒸気船・自動車・飛行機、果てはコンピュータほかさまざまな文明の利器を生み出したのは人類の大きな進歩でした。科学と言っても理系だけでなく、社会科学、人文科学も近代の合理主義によって飛躍し、我々の生活に多大な貢献をしてきました。その一方で核兵器が作られ、また深刻な環境破壊や温暖化など気候変動を引き起こしていることも否定できません。もうひとつ重要なのは、産業革命以後世界の人口がうなぎ上りに急増していることです。もはやこれ以上の人類を地球は許容できないとまで言われている状況です。

二十世紀の後半から二十一世紀の世界は、今から二千五百年くらい前の「枢軸時代」に出来た文化的枠組みの土台の上に、今から二百年余り前に生まれた産業革命によって成立した資本主義体制が乗っかって動いていると言うこともできますが、そこに文化の対立や環境破壊、貧富の差といった大きなひずみも生じているわけです。

このようにみていくと、現代に起きている問題はすべて過去の歴史にその源があるのであり、その解決への道も歴史が教えてくれるはずであることが垣間見えてきます。枢軸時代の先人たちの教える人間愛と人生への態度、そして近代科学の教える合理主義と科学精神のもたらす成果が、私たちに未来を指し示してくれるはずなのです。これから待ち受ける不安な未来に対し二十一世紀の人類が駆使できる叡智は、この二つ以外には存在しません。決して偏見や憎しみ、科学に基づかない思い込み、呪術、差別、偏狭な愛国心、また富への執着といったものに頼って判断してはならないのです。今世紀から来世紀に向けて人類の生存はそこに懸かっているのではないか、と私は思います。

人新世の気候危機

西暦二〇〇〇年、ノーベル化学賞受賞者のオランダの気象学者、パウル・クルッツェンは、人類が世界の生態系と大気に決定的な影響を及ぼすようになった現代を、地質学上の新たな時代「人新世《ひとしんせい》（アントロポセン）」と呼ぶことを提唱しました。当初、賛否両論あったこの新たな時代区分ですが、近年の気候変動の更なる進展から、今ではこれを支持する見方が多数を占めてきています。人類が地球の気候や生態系に与えている影響は、これまで考えられてきたよりずっと深刻であることがわかってきたのです（山本良一『気候危機』、オーウェン・ガフニー、ヨハン・ロックストローム『地球の限界』など）。

国連のグテーレス事務総長は、二〇二〇年十二月、ニューヨークのコロンビア大学で行った「地球の現状」という講演のなかで、強い口調でこのように述べました。

> 地球は破壊されている。人類は自然に戦争をしかけているが、これは自殺行為である。
> 自然は必ず反撃する。

さらに二〇二三年夏には、

> 地球温暖化は終わった。これからは地球沸騰化の時代だ。

と発言して世界中に注意をよびかけました。この警告は決してオーバーではありません。

太陽から降り注ぐ熱のうち余分なものを地球は宇宙に放出していますが、工場や自動車が増えた現代は、二酸化炭素など温室効果ガスの排出がとても多くなっています。二酸化炭素の排出は適度には必要で、もし温室効果ガスが全くなかったら平均気温はマイナス一九度ときわめて寒い気候になってしまいます。人間にとって地球は平均気温一四度くらいが適度だそうですが、必要以上に温室効果ガスが強まると、気温が高くなり過ぎてしまいます。今の地球は、ビニールハウスのように熱がこもっている状態といえます（石川聡子

「地球温暖化問題を身近に感じよう」『堺女子短期大学紀要』第五六号）。

この一万年間の地球の推移のなかで分析してみても、二酸化炭素濃度はこの二百年くらいのうちに急速に上昇しました。時間軸を直近の二百五十年ほどで測ってみると、二十世紀のとりわけその後半になって、すごい角度で上がっているのが見て取れます。私たち人類が産業革命によって石炭や石油をエネルギー源として利用するようになって以降、異常なほどの上がり方をしているのです。

温暖化と資本主義

こうした生活を今後も世界中の人々が続けていけば、二酸化炭素の排出量は益々増加し、二一〇〇年には四度以上の気温上昇が起きて、地球は人間が住めないほどに温暖化してしまいます。私たち人類が文明的な生活を続けるためにも、環境に配慮した生活に改めていかないといけません。

この問題の権威であるロックストロームは、警鐘を鳴らしています。

> 今（二〇二一年現在）、私たちは非常に重要な十年に入りました。この十年で未来の人類のすべての世代に影響する結果が決まる可能性が高いのです。私たちは流れを変

えなければなりません。

この地球温暖化の主要な原因になっている温室効果ガスのなかでも二酸化炭素は、先にも述べたように二百年前の産業革命以来増加し、とりわけ第二次大戦後に急増しました。日本は二酸化炭素排出量、世界第五位です（一位中国、二位アメリカ、三位インド、四位ロシア、五位日本）。この間の社会の変化が、気候変動をもたらしました。それは、この二百年の世界の経済システムである資本主義に他なりません。したがって人類が今後も持続可能であるためには、現在の資本主義システムを変えていく以外に道は無いと、『人新世の「資本論」』の著者・斎藤幸平は説きます。「資本主義こそが、気候変動をはじめとする環境危機の原因にほかならない」と。

斎藤は、資本主義の本質とは「利潤を増やすための経済成長をけっして止めることがない」ことにあると言います。「経済成長」＝「価値増殖と資本蓄積」のために「さらなる市場を絶えず開拓していくシステム」が資本主義であり、その過程で「環境への負荷を外部へ転嫁しながら、自然と人間からの収奪を行ってきた」、その際限ない運動が資本主義だというのです。

同様のことは二〇一四年に既に経済学者の水野和夫も指摘していました。水野によると、

「資本主義は『中心』と『周辺』から構成され、『周辺』つまりフロンティアを広げることによって、『中心』が利潤率を高め、資本の自己増殖を推進していくシステム」です。しかし最後のフロンティアといわれたアフリカの開発が進む現在、もはや「地理的な市場拡大は最終局面に入っている」と水野は指摘します。もう「地理的なフロンティアは残っていません」と（『資本主義の終焉と歴史の危機』）。

斎藤は警告します。「資本は無限の価値増殖を目指すが、地球は有限である」。自然は、気候は、もはや人間の略奪に悲鳴をあげている。今、人類は大きな分岐点に立っているというのです。

新自由主義（**ネオリベラリズム**）**の時代**

この三十年のまさに現代という時代を席捲し、今も覆っているのが、ネオリベラリズム＝新自由主義の政策です。この考え方は、最初F・A・ハイエクやミルトン・フリードマンといった欧米の経済学者によって唱えられました。

日本を代表する世界的な経済学者・宇沢弘文の定義では、新自由主義とは、「企業の自由が最大限に保証されるときにはじめて、一人一人の人間の能力が最大限に発揮され、さまざまな生産要素が効率的に利用できるという一種の信念に基づいて、そのためにすべての資源、生産要素を私有化し、すべてのものを市場を通じて取引するような制度をつくるという考え方」（『始まっている未来　新しい経済学は可能か』）です。「水や大気、教育とか医療、また公共的な交通機関といった分野については、新しく市場を作って、自由市場と自由貿易を追求していく」というのです。

政策としての始まりは、一九八〇年代のアメリカ・レーガン大統領の政策（レーガノミクス）、同時期のイギリス・サッチャー首相の政策（サッチャーリズム）にあります。こうした政策をとった西側諸国が東側諸国に対し勝利したことで正当性を獲得し、九〇年代以降、世界を覆っていきました。東側諸国も資本主義経済に取り込まれてマーケットに参入し、グローバリゼーションが進みました。

ここまで書くと、これが日本でも起きた（今も続いている）現象であることに気づくでしょう。一九九五年三月、自社さ連立の村山富市政権のもとで閣議決定された「規制緩和推進計画について」には「自己責任原則と市場原理に立つ自由な経済社会としていくことを基本と」すると定められ、「（規制緩和には）〝聖域〟があってはならず、福祉、教育、労働、金融といった分野でも上述（自己責任・市場原理）の考えをもって当たるべき」であり、「社会的規制は『自己責任』を原則に最小限に」していくと謳っています。二〇〇一年に発足した小泉純一郎内閣で、「民間にできることは民間に」「行政改革によって役所をスリムに」「規制緩和」「小さな政府」をスローガンに、推し進められてきた政策は、アメリカやイギリスで行われてきた新自由主義政策の日本版ともいうべきものでした。

市場への依存度を高め、福祉を減らすこうした政策は、共産主義が崩壊したせいで、加速したと言われています。しかしその政策は正しかったのでしょうか。

新自由主義の失敗

トリクルダウン理論という、富裕層に課せられる税率を下げる政策があります。そうすれば富裕層はますます富を得るわけですが、彼らが潤い、お金を使ってくれることで、残りの大多数の一般庶民にも利益が上から下りてくるというのです。アメリカや日本など新自由主義を実行した国ではこの政策が信じられ、実行されました。しかしカリフォルニア大学准教授のガブリエル・ズックマンが、一九八〇年代に導入された富裕層への低税率政策を検証したところ、この四十年間で国民の半数を占める労働者階級の所得の伸びはほぼ〇%だったのに対して、富裕層のそれは大幅に増えていたことがわかりました。トリクルダウンの効果がほとんどなかったことが立証されたのでした（ガブリエル・ズックマン「極端な富はなぜつくられたか」『不安に克つ思考　賢人たちの処方箋』）。

水野和夫もいうように、新自由主義を実践した国では国民経済は崩壊して先進国のみならず新興国においても、一部の特権階級だけが富を独占しています。格差の拡大が世界的な問題になっているのです。

新自由主義に代わる政策

いまや新自由主義が行き詰まっているのは明白で、それに代わる政策が待ち望まれています。たとえば『21世紀の資本』で世界的に有名な経済学者トマ・ピケティは、資産に対する課税を強化し、その税収を財源にして二十五歳になった若者すべてにまとまった額の資本（たとえば千五百万円ほど）を一律支給する制度を提案しました（トマ・ピケティ「ビリオネアをなくす仕組み」『新しい世界　世界の賢人16人が語る未来』）。これは私有財産を「永遠」のものとするのではなく、「時限化」する試みといえます。本来度を超さない限り私有財産制は正当なものですが、政治や経済の特権が一部の人に過剰に集中したり、その権力の集中が長期化したりすることを避けるためには、これくらいの大なたを振るわなければならないと、ピケティは主張しています。

「社会的共通資本」

宇沢弘文は、資本主義を是正する試みとして「社会的共通資本」という概念を提示しました。これは「社会全体にとって共通の財産として管理・運営される」べきモノを市場原理に預けてしまわず、持続的・安定的に維持していく社会的装置のことです。この社会全体の共通財産とは「自然環境・社会的インフラストラクチャー・制度資本」の三つに分類され、具体的には「自然環境」は「山、川、森、湖沼、海、水、土壌、大気など」、「社会的インフラストラクチャー」は「道路、橋、鉄道、上下水道、電力、ガスなど」、「制度資本」は「教育、医療、金融、行政、出版、ジャーナリズム、文化など」があります。これらそれぞれの部門の維持・管理を、これらと「密接な関わりをもつ生活者の集まりや職業的専門家集団」に委ねるというのです。それは「官僚集団によって管理される」のでもなく、「儲けることを最高の規準に位置づける市場原理主義的な立場に立つ」ものでも決してないという新たな社会のありかたです。

「コモンズ」

　宇沢が提示した社会的共通資本の考えをもとに、これをいわば更新したものが、現在アントニオ・ネグリ、マイケル・ハート、それに斎藤幸平らの掲げる「コモンズ」の概念です（『人新世の「資本論」』）。斎藤によると、「コモンズ」とは「社会的に人々に共有され、管理されるべき富のこと」で、ほとんど宇沢の「社会的共通資本」と重なる概念です。これらを「市場原理主義のように、あらゆるものを商品化するのではなく、かといってソ連型社会主義のようにあらゆるものの国有化を目指すのでもない」。第三の道としての「コモン」は、「水や電力、住居、医療、教育といったものを公共財として、自分たちで民主主義的に管理することを目指す」のです。斎藤は宇沢の社会的共通資本との違いとして、「市民が民主的・水平的に共同管理に参加する」ところを挙げ、そして「最終的には、このコモンの領域をどんどん拡張していくことで、資本主義の超克を目指す」ところにあるといいます。

強権国家とヘイト

　このところ世界で民主主義（デモクラシー）の危機ということが叫ばれるようになって

きました。アメリカにおけるトランプ現象、中国（中華人民共和国）の香港、新疆ウイグル自治区の人々に対する人権抑圧、反対者の逮捕や強制労働などの政治的弾圧、またロシアのプーチン政権による野党勢力や言論人への抑圧や暗殺疑惑などがその例で、コロナ禍で非民主主義的な強権国家はトルコ、ミャンマーなどむしろ増加しています。

日本も他人事ではありません。世界の報道の自由ランキングで日本は下位で停滞し続けています。たしかにここ数年来、当時の総理大臣の関わるいくつもの疑惑が結局、事件化せず、うやむやに終わりました。政府への批判を許さない風潮、ナショナリズムを煽り、在日外国人を嫌悪する風潮、戦前の軍国主義を称揚する国粋主義、復古主義的な価値観が、力を増してきていることも否定できません。

事実に基づかないニュースを意図的に発信するフェイクニュースが流れ、しかもそれを多くの人々が信じてしまう現象（アメリカのトランプ現象など）、エリート層や官僚層に対する大衆の不満に迎合してこれらに扇動的に批判的な政策をとるポピュリズム現象、また特定の国の人を目の敵にし、その移住を妨げようとする排外的なヘイト・人種差別もあります。

ポピュリズム政治がなぜ支持されるのか

　ポピュリズム研究の第一人者ヤン＝ヴェルナー・ミュラーは、「あらゆるポピュリストの特徴」として、まず「人民」と「利己的で腐敗したエリート」を対置すること、そして「自分たちだけが真正な人民を代表する」と主張することを挙げます。そうなると「いかなる反対派も正統では無い」ことになり、彼らに「反対する者は人民に反対している」とみなされてしまいます（『ポピュリズムとは何か』）。

　彼らは政治的な競争相手を「非道徳的で腐敗したエリート」として糾弾します。こうして大衆の支持を得ていったん政権を獲得すると、「いかなる反対派＝野党も正統なものとして承認することを拒む」のです。彼らは、対立を厭《いと》いません。「対立を食い物にし、分裂を強めるだけでなく、政治的な敵対者たちを『人民の敵』として扱い、彼らを完全に排除しよう」とするのです。

　ナチス・ドイツは国民の支持を得て、議会で多数の議席を獲得し政権を樹立したのですが、そのあとに恐ろしい本性を現わしました。「その手口を学んだらどうか」と日本でも改憲を目論む有力政治家が発言したことがありましたが、たしかにワイマール憲法を自らの意志で手放したのは、ドイツ国民でした。この歴史的事実からも、国民の意志だからといって必ずしも正しい選択をするとは限らないという教訓が得られます。

戦後七十七年の間、ナチズム、ポピュリズムの復活、到来については、ヨーロッパでもアメリカでも日本でも常に警戒されてきたはずですが、それでも危険な状態は今もこれらの国々に存在しています。危険な兆候が現われた時、私たちは怯まずその危険性を指摘し、警告を発しなければなりません。国民は判断を誤るかもしれない、ということを肝に銘じておかないといけないのでしょう。

ネット社会と人間の疎外

長い不況のなかで多くの人々、とりわけ若者が心に悩みを抱えている現状があります。そこにはインターネット社会の抱える闇も潜んでいるに違いないでしょう。ネットは世界の人々をつなぐはたらきがある一方で、多くの弊害のあることも浮き彫りになってきています。「炎上と呼ばれる感情的な対立、個人への誹謗中傷、個人情報の流出、著作権の侵害、不正アクセスやコンピュータウィルスなどの諸問題」（吉見俊哉）が次々に発生していったのでした。

これとも一部では関連するのでしょうが、若者の引きこもりが今や若者から中年世代にまで継続しています。自殺者は二〇二〇年に二万千八十一人。十一年ぶりに増加しました。二〇〇三年の三万四千四百二十七人が最多で、以後は減少していますが、厚生労働省によると、「諸外国と比較すると、我が国の自殺者数はいまだに多い」とのことです。

　そこには相対的貧困率の上昇、経済的格差の拡大といった経済的な問題も多くあるのでしょう。またある種の日本社会の「生きづらさ」のようなものがあるのではないか、ということも指摘されています。同調圧力の強さ、多様な生き方への理解不足もあるのでしょう。「いじめ」もあります。近年ようやくジェンダー平等やＬＧＢＴＱの人々への理解が進みつつあるように思いますが、憲法にも記されているような、ひとりひとりの個性を認めることの必要性がまだまだ認識されていないように思います。人間の尊厳というものへの理解がまだ日本では不足しているのではないでしょうか。

　イマニュエル・カントはこう言いました。

> 他者を手段としてのみならず、同時に目的として扱え（『実践理性批判』）。

　価格のつくものには何か他の等価物で置き換えることが可能なのに対し、人間には本来、価格がつかない、置き換え可能な等価物がない。そうした尊厳ある代替できない存在、それが人間です。人間を何かの目的のための手段として、つまり置き換え可能な存在として扱ってはならない、と彼は説きました。柄谷行人は、カントがこういう発想をした背景に「資本主義経済における資本―賃労働の関係」をみます。「資本家が労働者を単なる手段（労働力商品）として扱う」関係を見ているのです。「そうであるかぎり、人間の『尊厳』は失われざるをえない」からです（『世界史の構造』）。

マルクスは、十九世紀の資本主義経済において、労働力商品として扱われる労働者（プロレタリアート）の「人間疎外」を指摘しました。現代においても労働者を「コスト」として見る傾向があります。また、ネット社会のなかでも「人間疎外」が起きていることを危惧します。ひとりひとりの人生の「人間らしさ」を思い出す必要があると思います。

柄谷行人が提示した交換様式Ｄも、そうした人間らしさを回復するものであるに違いありません。それは、国家による支配と隷従（交換様式Ｂ）や、商品交換を介した関係（交換様式Ｃ）ではない、人間同士の心からのふれあいから生まれるつながりなのだと私は想像します。

その一方で、ＡＩやチャットＧＰＴなどの開発とその進歩によって、人間というものの存在が不安視されていることも事実です。これらの開発によって人間の仕事はなくなるのではないかと多くの人が不安に思っています。

二十一世紀においてあらためて私たちの尊厳と生きる意味について、私たちはどう生きるべきか、よく生きるとはどういうことか？　が問われるようになってきたのです。

第九章

人間性の回復へ――文学・芸術の役割

コロナ禍に心を癒したものは

ここまで人類の誕生から始まって現代――二〇二三年――に至る人類の歴史を振り返り、考えてきました。

コロナ禍、ロックダウンで外出もままならぬ不安な中で、あるヨーロッパ出身の経済学者が一人自宅で再読し、心を癒されていたのは谷崎潤一郎の長編小説『細雪』だった、とさきごろ見た新聞にありました。ルクセンブルク所得研究センター上級研究員、ニューヨーク市立大学大学院センター客員大学院教授を務めるブランコ・ミラノヴィッチでした。

> 谷崎潤一郎の『細雪』をコロナ下で再読しました。四姉妹の日常の描写に心を奪われました。

谷崎は自らの死後五十五年を過ぎて自分の小説がそのような形で読まれようとは、疫災下の異国の経済学者の心を癒すことになるとは、夢にも思わなかったでしょうが、古典となるのはそういう作品なのでしょう。

あらためて読まれたカミュ『ペスト』

もっと直截にこの状況下で多くの人が何かの答えを求めて読んだのは、カミュの『ペスト』でした。かく言う私も高校生のころ読んだこの本を、二〇二一年の秋、四十年ぶりに再読しました。ただし、かつては字面を追っていただけで、ほとんどその内容を理解できていなかったことを痛感しました。それでもあのとき読んだ意味があるとすれば、今になってもう一度読んでみようという気持ちにさせてくれたことです。あの時読んでいなければ、今回この本を読もうとは思わなかったに違いないからです。二度読む価値のない本は一度読む価値もない、という言葉を思い出します。

イタリアの作家イタロ・カルヴィーノの『なぜ古典を読むのか』に、このような一節があります。

> 大人になってからも、若い時に読んだ本の中で最も重要なものを、人生のある時間に、もう一度読んでみることが大切だ。たとえ本は昔のままでも、読む方は確実に変化しているし、そのときの出会いは全く新しい出来事なのだから。

『ペスト』は、アルジェリアのオランという都市を舞台にそこで蔓延したペストと向き合い、これと闘う人々を描いた群像劇といえますが、一面ではかなり哲学的な小説です。主人公はこの市の医師リウー。海に面したこの町で、ネズミがバタバタと死にだすところからこの物語は始まります。ネズミの死骸が街にあふれだし、間もなく災厄は人間に及んでいきます。日一日と多くの人が熱病で命を失い、市は外部と遮断され、交通も遮断されます。流行が始まる直前に、リウーはたまたま結核を患う妻を市外の山の上の療養所へ送り出していました。駅のプラットホームで別れた夫婦は、以来手紙のやりとりしかできなくなります。医師リウーはその後、治療の最前線で戦うことになります。彼の周囲には新しい友人や古い友人、年老いた患者などさまざまな人がおり、それぞれのやりかたでペストと向き合います。

災厄は神の意志か

そのうちの一人、市民に尊敬されていた神父パヌルーは、教会での講話でこの疫病は神が不信心な人々に与えた試練であると説きました。この説教は街の人々に「自分たちは何か知らない罪を犯した罰として、想像を絶した監禁状態に服させられているのだ」という観念を感じさせたのでした。真面目で清廉なパヌルー神父は、多くの心ある人たちとともに、病人の隔離や介護のボランティアに志願し、献身的に働きました。しかし、予審判事オトンの幼い子どもが隔離された状態で家族に見守られることもなく、苦しみながら命を落としていったさまをリウーたちとともに介護にあたりながら目の当たりにします。何の罪もない子どもまでが、なぜここまで苦しんで死んでいかないといけないのか。これもまた神が人間に与えた罰なのか。深い信仰をもたないリウーでもやはりショックを受けました。

「まったく、あの子だけは、少なくとも罪のない者でした。あなたもそれはご存じのはずです！」

　普段、冷静沈着なリウーですが、このときばかりはパヌルー神父に感情をぶつけました。少し間を置いてパヌルーは、「どうして私にあんな怒ったようないい方をなさったのです」と声を掛けました。「私だって、あの光景は見るに忍びなかったのですよ」。リウーは「ほんとに、そうでした」「悪く思わないでください」と詫びました。パヌルーは言います。「まったく憤りたくなるようなことです。しかしそれはつまり我々の尺度を越えたことだからです。しかし恐らく我々は自分たちに理解できないことを愛さねばならないのです」。

　リウーは反発します。「そんなことはありません。僕は愛というものをもっと違ったふうに考えています。総じて、子どもたちが責めさいなまれるように作られた世界を愛することなど死んでも認められません」。二人の見解は相違します。でもリウーは「我々は一緒に働いているんです。冒瀆や祈禱を越えて我々を結びつける何ものかのために。それだけが重要な点です」と述べます。パヌルーはこの言葉に感動し、「そうです。あなたもまた人類の救済のために働いていられるのです」。この言葉にリウーは、人類の救済などと大袈裟なこと、大それたことは考えていませんと言い、「人間の健康ということが僕の関心なんです。まず第一に健康です」。

二人はついに信仰の壁を越えることはできませんでしたが、でもリウーが最後に言うように一緒になって死と不幸と戦っていたのです。

際限なく続く敗北

神父はその後も教会で「すべてを、子どもの死さえも、神の御心に任せ、個人の力に頼ろうなどとしないように」と説教しました。その彼がペストに感染するのです。彼は熱病の中で、主義に反するからといって診察を拒みました。それでものちには「医者の必要はないが、規則通りにするために」自分を病院へ運ぶことに同意しました。これは介抱してくれる宿の女主人に感染させてしまうのを避けるためだったのでしょう。診察したリウーは「僕がついててあげますよ」と声を掛けますが、神父は苦しみの中で「ありがとう」と言いながら「しかし修道士には友というものはありません。すべてを神に捧げた身ですから」と言って十字架を握りしめるのです。翌朝、彼が死んでいるのが発見されました。彼は、自分の主張を一貫して守ったのでしょう。その点、聖職者としては立派でした。

しかしリウーは別の場面で新しくできた友人タルーに「あなたは神を信じていますか」と聞かれて「信じていない」と答え、「私は暗夜の中にいる。そのなかで何とかしてはっきり見極めようと努めているのです」と語ります。タルーは聞きます。「なぜあなた自身はそんなに献身的にやるんですか。神を信じていないといわれるのに」と。リウーは医師として「最も急を要するのは大勢の病人を治してやること」だと言い、「僕は自分としてできるだけ彼らを守ってやる、ただそれだけです」と答えます。タルーは「あなたの勝利は一時的なものではないか」と質します。医師はそれを認めながらも「だからといって戦いをやめる理由にはなりません」と答え、「ではあなたにとってペストが果たしてどういうものになるのか」と聞かれて、

「際限なく続く敗北です」

と答えるのです。

災厄の終わり

多くの犠牲を出した末に、ペストは突然退潮していきます。それでも市民たちはあわてて喜ぼうとはしなかったといいます。

　今日まで過ぎ去った幾月かは、彼らの解放の願いを増大させながらも、一方また用心深さというものを彼らに教え、病疫の近々における終息などますます当てにしないように習慣づけていたのである。

二〇二三年を生きる私たちにもよくわかる心理です。リウーは、最後に結核だった妻の死の知らせを受け取ります。また自分の分身のような友人タルーも流行の最後に感染し、命を落としました。市が解放され、歓喜に沸く町の雰囲気を眺めながら、彼は終わったばかりのペストとの戦いの日々を思うのです。

　リウーは、一体何を勝負に勝ち得たであろうか？　彼が勝ち得たところは、ただ、ペストを知ったこと、そしてそれを思い出すということ、友情を知ったこと、そしてそれを思い出すということ、愛情を知り、そしていつの日かそれを思い出すことになるということである。ペストと生との賭けにおいて、およそ人間が勝ちうることのできたものは、それは知識と記憶であった（宮崎嶺雄訳『ペスト』）。

科学は、膨大な人の命を犠牲にしながらも、ペストという疫病について新しい知識をもたらしました。長年にわたり、感染が息を吹き返すたびごとに、人類は疫病と戦い、これを手なずけるための知識を一歩ずつ獲得してきました。医師であるリウーは、こうした科学の進歩に微力ながらも貢献してきた一人です。その一方で、彼はこのパンデミックのなかで愛情を知り、友情を育み、またそれを失う悲しみに出会いました。そうした日々の思い出を生涯の中に残したのです。この思い出は科学ではなく、彼の一度きりの人生のかけがえないものです。

二十一世紀の教養

　もちろんひとりひとりの人生にとって、家族や友人たちなど現実の存在が生きがいになってくれることは言うまでもありません。そうした個人の一回かぎりの体験や思い出を普遍化し、時や空間を超えて離れた人々とも共通の思い出として表現化されたものが文学であり、歴史であり、芸術であり、宗教なのでしょう。これを味わうことによって個人の体験やその思いが多くの人にも共有され、追体験されるのです。これは人間にそれぞれだけのイマジネーション（想像力）があるからなのです。私たちひとりひとりの人生にとって、そうしたものはどうしても必要なものです。

カミュの『ペスト』がフィクションでありながらコロナ禍に心を痛める世界の人々に、ある覚悟と決意を与える作品となりえたのは、そうした普遍性を含んでいたからなのでしょう。カミュはあらためて現代の古典となりました。二十一世紀の教養というものは、こうしたものも含んでいるのだと思います。世界には様々なすぐれた文学や歴史、芸術、宗教などがあり、私たちひとりひとりの一回限りの生にとって、かけがえのない価値をもたらし、生きる指針や勇気を与えてくれたり、癒しをもたらしてくれたりします。それはカミュの『ペスト』だけではありません。啄木の歌であったり、晶子の詩や歌であったり、ドストエフスキーであったり、親鸞であったりするのでしょう。すぐれた音楽や美術作品、演劇、映画などもそうです。私たちの人生に精神的な豊かさと深みを与えてくれるこうした人類の共有財産もまた、大切な「教養」と呼ぶに値するものと言えるでしょう。

壮大なる知の世界の総合

晩年の立花隆は『知の旅は終わらない』という書物で、死ぬ前にあと二冊書きたい本があると言っています。一冊は若いころからずっと愛読していた詩人の立原道造論、もう一冊は『形而上学』という本です。形而上学とは、思考や直観によって世界の根本原理を追究する哲学の一分野のことですが、彼は、本来形而上学は物理学の上に立つべきものなのに、日本でこれをやる人は物理学をほとんど知らない人ばっかりだと言います。そこで自分が現代の物理学の「最先端の知見に立っ」た『形而上学』を書き、これを「最後の本に」したいと述べています。

また晩年に収録されたＮＨＫのテレビ番組のドキュメンタリーでは、『歴史』という題の本を最後に書きたいとも語っています。

> 僕は最後には『歴史』という本を書きたい。その『歴史』という僕の本は、ビッグバンから始まる歴史を全部書きたい。

立原道造論も『形而上学』も『歴史』も結局書かれることはありませんでした。知の総合をめざして関心を広げるだけ広げたような彼も、さすがにこれらを総合するのは容易ではなかったのでしょうか。

あとは残された私たち一人一人が、この書かれざる未完の書を、彼の代わりに頭の中で書き上げていかねばならないのかもしれません。本書はささやかなものですが、私なりのその序説と言ってもいいものです。

教養は何の役に立つか

最後にもう一度J・S・ミルの含蓄ある言葉をひもといてみたいと思います。今から百五十年前、彼は新入生に向かって、大学で得る教養が何の役に立つのかについて語っています。彼は教養を学ぶことによって、「期待を決して裏切ることのない、利害を超越した報酬」が得られるのだ、といいます。その「報酬」の中身とは、

> 皆さんが人生を生きていく中で、心惹かれ、もっと知りたいと思うこと（インタレスト）が、より深く、よりバラエティー豊かなものとなること（the deeper and more varied interest you will feel in life)。

だと言います。

「それは、人生を十倍も価値あるものにし、しかも生涯を終えるまで持ち続けることのできる価値です。単に個人的な関心事は年を経るに従ってその価値は減少していきますが、この価値は減少することがないばかりか、増大してやまないものです」とも言いました。若き日に学んだ教養は一生続く報酬であり財産なのです。本書がそのきっかけになれば望外の幸せです。

あとがき

ここまで冒頭に書いたように歴史の中で人類が生み出してきた知の全体像を、幾人ものり「巨人の肩の上に乗って」概観してきました。実はこうした本を書くことは、長年にわた私の夢でもありました。

その内容は、冒頭にも述べましたように、この十六年間、勤務先の堺女子短期大学でしてきたいくつかの教養科目の講義に基づくものです。この間、専門の日本古代史研究のかたわら、ずっと知の総合化、知の全体像の構築をめざして、柄にもないことですが、「教養の人類史」を追究してきました。もし私が四年制大学で日本史専攻の学生への専門教育を担当するような立場に立っていたのなら、本書のようなものを書くことはできなかっただろうと思います。この点でも、本書の刊行ができたことは感慨深いものがあります。

ここでは序章であげた立花隆、司馬遼太郎、井筒俊彦、松本清張だけでなく、古くは本居宣長、内藤湖南、津田左右吉に始まり、梅棹忠夫、中村元、丸山眞男、松田壽男、見田宗介、柄谷行人、山極寿一、斎藤幸平など。外国からは、これも古くはJ・S・ミル、マルクス、エンゲルスに始まり、ヤスパース、カミュ、エリアーデ、チョムスキー、ジュリアン・ジェインズ、W・J・オング、ユヴァル・ノア・ハラリなど、実に多くの人をとりあげました。書き終えた今、我ながらよくこれだけ読んだな、と思う反面、それでもまだまだ読んでいない本の多くあることに忸怩《じくじ》たる思いもします。

　これから「知の総合」ということの必要性がますます緊要になっていく時代において、こうした幾多の内外の知の巨人たちから私たちが学ぶことはさらに増えることと思います。どうか読者の皆さまには、本書でとりあげた多くの古典、そしてこれら「知の巨人」の成果を読んでいただきたいと願います。

　最後に、日頃お世話になっている堺女子短期大学の関係者の皆様、学生諸姉、そして今回お世話になった文春新書編集部の西本幸恒氏、後藤祐実氏に感謝の意を表したいと思います。

参考文献

はじめに

J・S・ミル『大学教育について』（岩波文庫）

序章

文藝春秋特別編集『「知の巨人」立花隆のすべて』（文藝春秋）

『ユリイカ』「特集　立花隆――１９４０-２０２１」（二〇二一年九月号、青土社）

島尾永康『ニュートン』（岩波新書）

立花隆・佐藤優『ぼくらの頭脳の鍛え方』（文春新書）

立花隆『ＮＨＫ人間大学　知の現在　限りなき人間へのアプローチ』（日本放送出版協会）・『立花隆対話篇　生、死、神秘体験』（書籍情報社）・『宇宙からの帰還』（中央公論社）・『知の旅は終わらない』（文春新書）

立花隆・司馬遼太郎「宇宙飛行士と空海」（立花隆『人類と宇宙の未来　宇宙を語るII』中公文庫）

司馬遼太郎『空海の風景』上下（中公文庫）

ユヴァル・ノア・ハラリ『ホモ・デウス』上下（河出書房新社）

司馬遼太郎『「昭和」という国家』（日本放送出版協会）・『十六の話』（中公文庫）

立花隆「職業選択を誤らなかった話」（若松英輔編『井筒俊彦ざんまい』慶應義塾大学出版会）

坂本勉・松原秀一編『井筒俊彦とイスラーム』（慶應義塾大学出版会）

井筒俊彦『意識と本質　精神的東洋を索めて』（岩波文庫）・『意味の深みへ　東洋哲学の水位』（岩波文庫）
松本清張『実感的人生論』（中公文庫）
『別冊太陽　日本のこころ　松本清張』（平凡社）
松本清張「佐分利公使の怪死」（『昭和史発掘2』文春文庫）
春名幹男『ロッキード疑獄　角栄ヲ葬リ巨悪ヲ逃ス』（KADOKAWA）
真山仁『ロッキード』（文藝春秋）

第一章

山極寿一『家族進化論』（東京大学出版会）
諏訪元「ラミダスが解き明かす初期人類の進化的変遷」（『季刊考古学』一一八号「特集　古人類学・最新研究の動向」）
篠田謙一『人類の起源』（中公新書）
海部陽介『人類がたどってきた道　〝文化の多様化〟の起源を探る』（日本放送出版協会）
榎本知郎『ボノボ　謎の類人猿に性と愛の進化を探る』（丸善）
古市剛史『あなたはボノボ、それともチンパンジー？』（朝日新聞出版）
クレイグ・スタンフォード『新しいチンパンジー学』（青土社）
松沢哲郎『想像するちから　チンパンジーが教えてくれた人間の心』（岩波書店）
立花隆『サル学の現在』（平凡社）

長谷川眞理子『進化的人間考』（東京大学出版会）
杉山幸丸『子殺しの行動学』（講談社学術文庫）
菊水健史『社会の起源　動物における群れの意味』（共立出版）
子安増生『心の理論　心を読む心の科学』（岩波書店）
長谷川寿一・長谷川眞理子『進化と人間行動』（東京大学出版会）
小林春美「言語の発生　発達心理学的アプローチ」（中島平三監修・長谷川寿一編『シリーズ朝倉〈言語の可能性〉4　言語と生物学』朝倉書店）
友永雅己「霊長類における三項関係と心の創発」（『動物心理学研究』56巻1号）
スティーヴン・ミズン『心の先史時代』（青土社）・『歌うネアンデルタール　音楽と言語から見るヒトの進化』（早川書房）
ロビン・ダンバー『友達の数は何人？　ダンバー数とつながりの進化心理学』（インターシフト）
ノーム・チョムスキー『我々はどのような生き物なのか　言語と政治をめぐる二講演』（岩波現代文庫）
三浦雅士『孤独の発明　または言語の政治学』（講談社）
ジュリアン・ジェインズ『神々の沈黙　意識の誕生と文明の興亡』（紀伊國屋書店）

第二章

木村重信『美術の始源』（新潮社）・『はじめにイメージありき』（岩波新書）
ミルチア・エリアーデ『世界宗教史1』（ちくま学芸文庫）
ジュリアン・ジェインズ『神々の沈黙　意識の誕生と文明の興亡』（紀伊國屋書店）

本村凌二『多神教と一神教　古代地中海世界の宗教ドラマ』（岩波新書）
山崎正和『世界文明史の試み』上下（中公文庫）
W・J・オング『声の文化と文字の文化』（藤原書店）
ユヴァル・ノア・ハラリ『サピエンス全史』上（河出書房新社）
大林太良「神話学の方法とその歴史」（『世界神話事典　創世神話と英雄伝説』角川ソフィア文庫）
関根正雄訳『旧約聖書　創世記』（岩波文庫）・『旧約聖書　ヨブ記』（岩波文庫）
矢島文夫訳『ギルガメシュ叙事詩』（ちくま学芸文庫）
山形孝夫『聖書物語』（岩波ジュニア新書）
岩田靖夫『ヨーロッパ思想入門』（岩波ジュニア新書）
ジャン・ボテロ『バビロンとバイブル　古代オリエントの歴史と宗教を語る』（法政大学出版局）
野田又夫『哲学の三つの伝統　他十二篇』（岩波文庫）
青柳正規『人類文明の黎明と暮れ方』（講談社学術文庫）
川田順造『無文字社会の歴史』（岩波現代文庫）
エンゲルス・土屋保男訳『家族・私有財産・国家の起源』（新日本出版社）
ジェームズ・C・スコット『反穀物の人類史　国家誕生のディープヒストリー』（みすず書房）

第三章

カール・ヤスパース「歴史の起原と目標」（『世界の大思想32ヤスパース』河出書房新社）・『哲学入門』（新潮文庫）

中村元『思想をどうとらえるか　比較思想の道標』（東京書籍）
野田又夫『哲学の三つの伝統　他十二篇』（岩波文庫）
伊東俊太郎『人類史の精神革命　ソクラテス、孔子、ブッダ、イエスの生涯と思想』（中央公論新社）
見田宗介『現代社会の理論』（岩波新書）
広井良典『無と意識の人類史　私たちはどこへ向かうのか』（東洋経済新報社）
金谷治訳注『論語』（岩波文庫）
プラトン・久保勉訳『ソクラテスの弁明・クリトン』（岩波文庫）
田中美知太郎『ソクラテス』（岩波新書）
岩田靖夫『ヨーロッパ思想入門』（岩波ジュニア新書）
藤沢令夫『プラトンの哲学』（岩波新書）
小林秀雄『考えるヒント』（文春文庫）
宮崎市定『論語の新しい読み方』（岩波現代文庫）
桑原武夫『論語』（ちくま文庫）
森三樹三郎『老子・荘子』（講談社学術文庫）
長尾雅人『仏教の源流——インド』（中公文庫）・「大乗仏教における存在論」（三枝充悳編『講座仏教思想』第一巻、理想社）
中村元・三枝充悳『バウッダ』（小学館）
山口益『仏教思想入門』（理想社）
横超慧日『仏教とは何か』（法蔵館）

佐々木閑『大乗仏教』（ＮＨＫ出版新書）
中村元・紀野一義訳注『般若心経・金剛般若経』（岩波文庫）
藤縄謙三『ホメロスの世界』（新潮社）・『ギリシア神話の世界観』（新潮社）
ソポクレス・藤沢令夫訳『オイディプス王』（岩波文庫）
Ｉ・モンタネッリ『ローマの歴史』（中公文庫）
奥村博司・東出功・前田俊哉『西洋史展望』（晶文社）
山形孝夫『聖書物語』（岩波ジュニア新書）
『新約聖書　新共同訳』（日本聖書協会）

第四章

森安孝夫『シルクロード世界史』（講談社選書メチエ）
増田四郎『ヨーロッパとは何か』（岩波新書）
堀米庸三『中世の光と影』上下（講談社学術文庫）
ケネス・クラーク・河野徹訳『芸術と文明』（法政大学出版局）
松田壽男『アジアの歴史　東西交渉からみた前近代の世界像』（岩波現代文庫）
梅棹忠夫『文明の生態史観』（中公文庫）
岩村忍『東洋の発見』（講談社学術文庫）
高階秀爾『ルネッサンスの光と闇』上下（中公文庫）・『フィレンツェ』（中公新書）・『名画を見る眼』（岩波新書）・『ダ・ヴィンチの「最後の晩餐」はなぜ傑作か？』（小学館１０１ビジュアル新書）

樺山紘一『ルネサンス』（講談社学術文庫）
ジョルジョ・ヴァザーリ『芸術家列伝3』（白水社）
奥村博司・東出功・前田俊哉『西洋史展望』（晶文社）
前川貞次郎『ヨーロッパ史序説』（ミネルヴァ書房）
ウィリアム・シェイクスピア・小田島雄志訳『マクベス』（白水社）
林健太郎『世界の歩み』上下（岩波新書）
西村貞二『教養としての世界史』（講談社現代新書）
デカルト『方法序説』（岩波文庫）
野田又夫『哲学の三つの伝統 他十二篇』（岩波文庫）
松井孝典『文明は〈見えない世界〉がつくる』（岩波新書）
中谷宇吉郎『科学の方法』（岩波新書）
加藤周一・久野収「戦後学問の思想」（『加藤周一対談集 歴史・科学・現代』ちくま学芸文庫）
高階秀爾「装飾性の原理」（『増補 日本美術を見る眼　東と西の出会い』岩波現代文庫）
エンゲルス『空想より科学へ』（岩波文庫）
柄谷行人『世界史の構造』（岩波現代文庫）・『力と交換様式』（岩波書店）

第五章

内藤湖南「日本文化とは何ぞや（その一）（その二）」（『日本文化史研究』上、講談社学術文庫）
津田左右吉「日本はシナ思想を如何にうけ入れたか」（『シナ思想と日本』岩波新書）

増淵龍夫『日本の近代史学史における中国と日本　津田左右吉と内藤湖南』（〈リキエスタ〉の会）
拙著『女帝と譲位の古代史』（文春新書）
西嶋定生「東アジア世界の形成と展開」（『邪馬台国と倭国　古代日本と東アジア』吉川弘文館）
司馬遼太郎・ドナルド・キーン『日本人と日本文化』（中公新書）
日野龍夫「宣長学成立まで」（『日本思想大系　本居宣長』岩波書店）
小林秀雄『本居宣長』（新潮文庫）
拙稿「本居宣長の人間観と学問観」（『堺女子短期大学紀要』第四三号）
本居宣長「紫文要領」（『新潮日本古典集成　本居宣長集』新潮社）
梶原正昭・山下宏明校注『平家物語』一～四（岩波文庫）
吉川幸次郎「文弱の価値　『物のあはれをしる』補考」（『日本思想大系　本居宣長』岩波書店）
本居宣長『玉くしげ・秘本玉くしげ』（岩波文庫）
中村元『日本人の思惟方法〈普及版〉』（春秋社）
丸山眞男「歴史意識の『古層』」（『忠誠と反逆　転形期日本の精神史的位相』ちくま学芸文庫）
高島俊男『漢字と日本人』（文春新書）
柄谷行人『帝国の構造』（青土社）
杉田玄白『蘭学事始』（岩波文庫）
辻達也『江戸時代を考える』（中公新書）

第六章

井筒俊彦『意識と本質』（岩波文庫）・『意味の深みへ』（岩波文庫）

藤吉慈海『禅と浄土教』（講談社学術文庫）

長尾雅人『仏教の源流――インド』（中公文庫）

中村元・三枝充悳『バウッダ』（小学館）

横超慧日『仏教とは何か』（法蔵館）

中村元『龍樹』（講談社学術文庫）

森三樹三郎『「無」の思想』（講談社現代新書）・『老荘と仏教』（講談社学術文庫）

金谷治訳注『荘子』（岩波文庫）

野間宏『歎異抄』（ちくま文庫）・『親鸞』（岩波新書）

吉本隆明『最後の親鸞』（ちくま学芸文庫）

五木寛之『はじめての親鸞』（新潮新書）・『私の親鸞』（新潮社）

司馬遼太郎「蓮如と三河」（『以下、無用のことながら』文春文庫）

平雅行『改訂　歴史のなかに見る親鸞』（法蔵館）

千葉乗隆『親鸞　人間性の再発見』（清水書院）

笠原一男『親鸞』（講談社学術文庫）

法然・大橋俊雄校注『選択本願念仏集』（岩波文庫）

鈴木大拙『日本的霊性』（岩波文庫）

柳宗悦『南無阿弥陀仏』（岩波文庫）

中村元・早島鏡正・紀野一義訳註『浄土三部経　上　無量寿経』（岩波文庫）

梶原正昭・山下宏明校注『平家物語』一〜四（岩波文庫）
金子大栄校注『歎異抄』（岩波文庫）
杉浦明平『古典を読む　歎異抄』（岩波書店）
親鸞・金子大栄校訂『教行信証』（岩波文庫）
「末燈鈔」「一念多念文意」（増谷文雄編『日本の思想3　親鸞集』筑摩書房）
内藤知康『阿弥陀仏と浄土　親鸞が歩んだ道』（法蔵館）
立花隆『宇宙からの帰還』（中央公論社）

第七章

大佛次郎『天皇の世紀』一〜十二（文春文庫）
見田宗介『現代社会はどこに向かうか』（岩波新書）
吉見俊哉『平成時代』（岩波新書）
司馬遼太郎『坂の上の雲』（文春文庫）
与謝野晶子『私の生い立ち』（岩波文庫）
夏目漱石『三四郎』（岩波文庫）
海音寺潮五郎・司馬遼太郎『日本歴史を点検する』（講談社文庫）
松本清張『史観宰相論』（ちくま文庫）
司馬遼太郎『「昭和」という国家』（日本放送出版協会）
柄谷行人『世界史の構造』（岩波現代文庫）

半藤一利『昭和史　１９２６－１９４５』（平凡社）・『昭和史 戦後編　１９４５－１９８９』（平凡社）・『日本のいちばん長い日』（文春文庫）

中島岳志『親鸞と日本主義』（新潮社）

近藤俊太郎『天皇制国家と「精神主義」　清沢満之とその門下』（法藏館）

日本戦没学生記念会編『第二集　きけ　わだつみのこえ　日本戦没学生の手記』（岩波文庫）

第八章

長谷川眞理子『進化的人間考』（東京大学出版会）

『現代思想』「特集　人新世」（二〇一七年十二月号、青土社）

斎藤幸平『人新世の「資本論」』（集英社新書）

井田徹治『次なるパンデミックを回避せよ　環境破壊と新興感染症』（岩波書店）

小西雅子『地球温暖化は解決できるのか』（岩波ジュニア新書）・『地球温暖化を解決したい』（岩波書店）

山本良一『気候危機』（岩波書店）

デイビッド・ウォレス・ウェルズ『地球に住めなくなる日』（ＮＨＫ出版）

石川聡子「【講演要旨】地球温暖化問題を身近に感じよう」（『堺女子短期大学紀要』第五六号）

オーウェン・ガフニー、ヨハン・ロックストローム・戸田早紀訳『地球の限界』（河出書房新社）

水野和夫『資本主義の終焉と歴史の危機』（集英社新書）・『次なる１００年　歴史の危機から学ぶこと』（東洋経済新報社）

宇沢弘文・内橋克人『始まっている未来　新しい経済学は可能か』（岩波書店）

ガブリエル・ズックマン「極端な富はなぜつくられたか」（『不安に克つ思考　賢人たちの処方箋』講談社現代新書）
トマ・ピケティ『21世紀の資本』（みすず書房）・「ビリオネアをなくす仕組み」（『新しい世界　世界の賢人16人が語る未来』講談社現代新書）
宇沢弘文『社会的共通資本』（岩波新書）
郷原信郎『「単純化」という病』（朝日新書）
古賀茂明『分断と凋落の日本』（講談社）
原真人『アベノミクスは何を殺したか』（朝日新書）
ヤン＝ヴェルナー・ミュラー『ポピュリズムとは何か』（岩波書店）
吉見俊哉『平成時代』（岩波新書）
カント・波多野精一・宮本和吉・篠田英雄訳『実践理性批判』（岩波文庫）
柄谷行人『世界史の構造』（岩波現代文庫）

第九章

谷崎潤一郎『細雪』上中下（新潮文庫）
カミュ・宮崎嶺雄訳『ペスト』（新潮文庫）
イタロ・カルヴィーノ・須賀敦子訳『なぜ古典を読むのか』（河出文庫）
立花隆『知の旅は終わらない』（文春新書）
J・S・ミル『大学教育について』（岩波文庫）

水谷千秋（みずたに ちあき）

1962年、滋賀県大津市生まれ。龍谷大学大学院文学研究科博士後期課程単位取得（国史学）。博士（文学）。堺女子短期大学副学長。日本古代史専攻。著書に『継体天皇と古代の王権』『日本古代の思想と天皇』（以上和泉書院）、『謎の大王 継体天皇』『女帝と譲位の古代史』『謎の豪族 蘇我氏』『謎の渡来人 秦氏』『継体天皇と朝鮮半島の謎』『女たちの壬申の乱』（以上文春新書）、『古代豪族と大王の謎』（宝島社新書）、『日本の古代豪族100』（講談社現代新書）など。

文春新書

1431

教養《きようよう》の人類史《じんるいし》 ヒトは何《なに》を考《かんが》えてきたか？

2023年10月20日 第1刷発行

著　者　　水 谷 千 秋
発行者　　大 松 芳 男
発行所　株式会社　文 藝 春 秋

〒102-8008 東京都千代田区紀尾井町3-23
電話（03）3265-1211（代表）

印刷所　　理 想 社
付物印刷　大 日 本 印 刷
製本所　　大 口 製 本

定価はカバーに表示してあります。
万一、落丁・乱丁の場合は小社製作部宛お送り下さい。
送料小社負担でお取替え致します。

ISBN978-4-16-661431-8

文春新書

◆日本の歴史

渋沢家三代　佐野眞一
古墳とヤマト政権　白石太一郎
謎の大王 継体天皇　水谷千秋
謎の豪族 蘇我氏　水谷千秋
謎の渡来人 秦氏　水谷千秋
継体天皇と朝鮮半島の謎　水谷千秋
女たちの壬申の乱　水谷千秋
昭和史の論点　坂本多加雄・秦 郁彦・半藤一利・保阪正康
あの戦争になぜ負けたのか　半藤一利・保阪正康・中西輝政・戸高一成・福田和也・加藤陽子
日本のいちばん長い夏　半藤一利編
昭和陸海軍の失敗　半藤一利・秦 郁彦・平間洋一・保阪正康・黒野 耐・戸高一成・戸部良一・福田和也
昭和の名将と愚将　半藤一利・保阪正康
日本型リーダーはなぜ失敗するのか　半藤一利
「昭和天皇実録」の謎を解く　半藤一利・保阪正康・御厨 貴・磯田道史
大人のための昭和史入門　半藤一利・船橋洋一・出口治明・水野和夫・佐藤 優・保阪正康他
21世紀の戦争論　半藤一利・佐藤 優

なぜ必敗の戦争を始めたのか　半藤一利
歴史探偵 忘れ残りの記　半藤一利
歴史探偵 昭和の教え　半藤一利
歴史探偵 開戦から終戦まで　半藤一利
昭和史の人間学　半藤一利
十七歳の硫黄島　秋草鶴次
山県有朋　伊藤之雄
指揮官の決断　早坂 隆
永田鉄山 昭和陸軍「運命の男」　早坂 隆
ペリリュー玉砕　早坂 隆
日本人の誇り　藤原正彦
天皇陵の謎　矢澤高太郎
児玉誉士夫 巨魁の昭和史　有馬哲夫
遊動論 柳田国男と山人　柄谷行人
火山で読み解く古事記の謎　蒲池明弘
邪馬台国は「朱の王国」だった　蒲池明弘
「馬」が動かした日本史　蒲池明弘
文部省の研究　辻田真佐憲

古関裕而の昭和史　辻田真佐憲
大日本史　山内昌之・佐藤 優
日本史のツボ　本郷和人
承久の乱　本郷和人
権力の日本史　本郷和人
北条氏の時代　本郷和人
日本史を疑え　本郷和人
黒幕の日本史　本郷和人
明治天皇はシャンパンがお好き　浅見雅男
江戸のいちばん長い日　安藤優一郎
江戸の不動産　安藤優一郎
姫君たちの明治維新　岩尾光代
日本史の新常識　文藝春秋編
秋篠宮家と小室家　文藝春秋編
美しい日本人　文藝春秋編
日本プラモデル六〇年史　小林 昇
仏教抹殺　鵜飼秀徳
お寺の日本地図　鵜飼秀徳

仏教の大東亜戦争　鵜飼秀徳
昭和天皇　最後の侍従日記　小林 忍＋共同通信取材班
令和を生きるための昭和史入門　保阪正康
内閣調査室秘録　志垣民郎　岸 俊光編
木戸幸一　川田 稔
「京都」の誕生　桃崎有一郎
皇国史観　片山杜秀
11人の考える日本人　片山杜秀
昭和史がわかるブックガイド　文春新書編
遊王 徳川家斉　岡崎守恭
大名左遷　岡崎守恭
東條英機　一ノ瀬俊也
信長 空白の百三十日　木下昌輝
感染症の日本史　磯田道史
徳川家康 弱者の戦略　磯田道史
平安朝の事件簿　繁田信一
小林秀雄の政治学　中野剛志
婆娑羅大名 佐々木道誉　寺田英視

経理から見た日本陸軍　本間正人
戦前昭和の猟奇事件　小池 新
インパールの戦い　笠井亮平
東京の謎《ミステリー》　門井慶喜
歴史・時代小説教室　安部龍太郎　門井慶喜　畠中 恵
お茶と権力　田中仙堂
明治日本はアメリカから何を学んだのか　小川原正道
歴史人口学で見た日本〈増補版〉　速水 融
小さな家の思想　長尾重武
日中百年戦争　城山英巳
極秘資料は語る 皇室財産　奥野修司
装飾古墳の謎　河野一隆

文春新書のロングセラー

磯田道史
徳川家康　弱者の戦略
人質、信長との同盟、信玄との対決……次々に襲う試練から家康は何を学んで天下を取ったのか——。第一人者が語り尽くす「学ぶ人家康」
1389

エマニュエル・トッド　大野舞訳
第三次世界大戦はもう始まっている
ウクライナを武装化してロシアと戦う米国によって、この危機は「世界大戦化」している。各国の思惑と誤算から戦争の帰趨を考える
1367

樹木希林
一切なりゆき
樹木希林のことば
二〇一八年、惜しくも世を去った名女優が語り尽くした生と死、家族、女と男……。ユーモアと洞察に満ちた希林流生き方のエッセンス
1194

牧田善二
糖質中毒
痩せられない本当の理由
どうして人は太ってしまい、またなぜ痩せられないのか。それは脳が糖質に侵された中毒だから。そこから脱却する最終的方法を伝授！
1349

堤　未果
ルポ　食が壊れる
私たちは何を食べさせられるのか？
人工肉からワクチンレタスまで、フードテックの裏側で何が起こっているのか？「食と農」の危機を暴き、未来への道筋を示す本
1385

文藝春秋刊